Italiano

Berlitz Languages, Inc.
Princeton, NJ
USA

ISBN 2–8315–2167–X

Cover Photo
Daniel Vittet
From the Berlitz *Pocket Guide to Italy* © Berlitz Publishing Co. Ltd.

Eighteenth Printing
Printed in Switzerland – September 1999

Berlitz Languages, Inc.
400 Alexander Park
Princeton, NJ
USA

INDICE

CAPITOLO 5

CAPITOLO 6

CAPITOLO 7

Pagina

CAPITOLO 13

CAPITOLO 14

CAPITOLO 15

CAPITOLO 16

CAPITOLO 17

Pagina

PREFAZIONE

I principi fondamentali del Metodo Berlitz, secondo M. D. Berlitz, fondatore delle Scuole Berlitz, richiedono un uso costante ed esclusivo della lingua straniera e una associazione diretta di percezione e pensiero con il suono delle parole di quella lingua.

I mezzi necessari per conseguire questo intento sono:

1. L'insegnamento di ciò che è concreto per mezzo di dimostrazioni visive e di dialoghi.
2. L'insegnamento di ciò che è astratto per mezzo di associazioni di idee.
3. L'insegnamento della grammatica per mezzo di esempi e analogie.

"La traduzione intesa come mezzo d'apprendimento della lingua straniera è completamente abbandonata. Sin dalla prima lezione l'allievo ascolta e parla solo la lingua che desidera imparare. Ciò che non può essere insegnato con dimostrazioni visive è reso chiaro seguendo il principio matematico che determina il valore di un'incognita X attraverso le sue relazioni con le quantità note A e B."

Nelle prefazioni alle prime edizioni dei suoi libri di testo, M. D. Berlitz spiegava dettagliatamente le ragioni che l'avevano condotto a contestare la validità dell'insegnamento secondo il metodo grammaticale e a insistere sull'uso esclusivo della lingua da studiare.

Per M. D. Berlitz era "illogico" fare uso della madrelingua dell'allievo nel corso della maggior parte della lezione. Ogni lingua, secondo M. D. Berlitz, si imparava meglio "partendo dalla lingua stessa"; questo era l'unico modo che permettesse all'allievo di "entrare nello spirito della lingua e di abituarsi a pensare nella lingua stessa." In tal modo il Metodo Berlitz riduce drasticamente le difficoltà grammaticali, che sono spesso create dalla traduzione, ed i paragoni che ne derivano con la madrelingua dell'allievo.

Tuttavia le implicazioni dell'approccio diretto nella programmazione di corsi di lingue straniere comportano ulteriori considerazioni. Quale intransigente fautore del metodo diretto, M. D. Berlitz fu il solo a trarne conclusioni pratiche. Tali conclusioni comprendono tutti gli aspetti essenziali di un corso di lingua straniera:

1. Gli scopi del Metodo d'insegnamento Berlitz sono, innanzitutto, insegnare a capire e a parlare, mentre leggere e scrivere sono considerati scopi secondari. Berlitz insegna la lingua parlata prima di quella scritta: quindi, la lingua come forma di discorso precede la lingua come forma letteraria.

2. Il Metodo Berlitz insegna la lingua come "capacità"—la capacità di capire e parlare, di leggere e scrivere—cioè come uno strumento pratico anzichè mera conoscenza teorica. La capacità di capire e di farsi capire viene gradualmente instillata sin dalla prima lezione.
3. M. D. Berlitz fu il primo a compilare una lista minima di parole essenziali e ad incorporarla nel suo primo libro. Egli stabilí un elenco delle parole più frequentemente usate nella conversazione ben prima che divenissero disponibili le statistiche della cosidetta "concordanza" delle parole nel linguaggio letterario.
4. La stessa procedura viene applicata per quanto riguarda la scelta degli elementi grammaticali determinanti agli effetti della conversazione, quelli cioè che effettivamente concorrono a formare la cosiddetta struttura-base di una lingua.
5. L'ordine in cui vengono via via introdotti vocabolario e grammatica è, naturalmente, determinato dal bisogno di spiegare tutti gli elementi fondamentali di una lingua senza mai dover ricorrere alla traduzione, e dalla necessità di presentare situazioni via via più complesse in ordine di difficoltà.

In questo senso, il principio del metodo diretto determina l'ordine di precedenza dei diversi obiettivi dell'insegnamento, la scelta del vocabolario e della struttura grammaticale, l'ordinamento di tale materiale e l'insieme del materiale presentato ad ogni lezione. È interessante notare che il Metodo Berlitz, attuando rigorosamente il sistema del contatto diretto, coincide perfettamente con i criteri dell'istruzione programmata.

I materiali di insegnamento di cui le Scuole Berlitz dispongono sono i seguenti:

1. Un manuale per l'insegnante (il programma destinato alla classe che gli è affidata).
2. Materiale su cassetta: esercizi audio-linguistici di ripasso.
3. Un manuale per l'allievo: letture, esercizi scritti e tavole di riferimento.

Tutti questi materiali sono messi a disposizione dell'insegnante della Berlitz, il quale è, come sempre, l'elemento chiave.

Quale successore del maestro di lingua di tempi ormai passati, quale successore del "maître de langue" o dello "Sprachmeister," l'insegnante della Berlitz continua ad essere il rappresentante in chiave moderna di un'antica onorata professione.

CAPITOLO 1-RICAPITOLAZIONE

Che cosa è?
Questo è . . .
—un fiammifero
un giornale
un libro
un magnetofono
(registratore)
un microfono
un nastro
un numero
un sigaro
un tavolo

Questa è . . .
—una carta
una chiave
una finestra
una matita
una pagina
una penna
una porta
una rivista
una scatola
una sedia
una sigaretta

Questa è una bottiglia . . .
—di latte
di vino

Questa è una tazza . . .
—di caffè
di latte

È un libro?
—Sì, è un libro.
No, non è un libro.

Di che colore è . . . ?
È . . .
—azzurro/a
bianco/a
giallo/a
grigio/a
nero/a
rosso/a

—marrone
verde

—rosso *e* bianco
rosso *o* bianco

Com'è . . . ?
È . . .
—corto/a
lungo/a
piccolo/a
grande

Quale libro è rosso?
—Quest*o* libr*o* è ross*o*.

Quale sedia è nera?
—Quest*a* sedi*a* è ner*a*.

Quale numero è questo?
Questo è il numero . . .
—uno
due
tre
quattro
cinque

—sei
sette
otto
nove
dieci

NASTRO NUMERO 1

UNA BOTTIGLIA E UNA TAZZA

Questa è una bottiglia.
È una bottiglia di vino.

Il vino è rosso. La bottiglia non è rossa; la bottiglia è verde.

Questa bottiglia è grande . . . molto grande!

È una bottiglia molto grande di vino italiano.

E questa!
Questa non è una bottiglia. Che cosa è questa? Questa è una tazza.

Ma com'è questa tazza, grande o piccola? È piccola. È una piccola tazza di caffè.

È nera questa piccola tazza? No, non è nera; è bianca. Ma il caffè è nero.

È una piccola tazza bianca di caffè nero.

CHE COSA È?

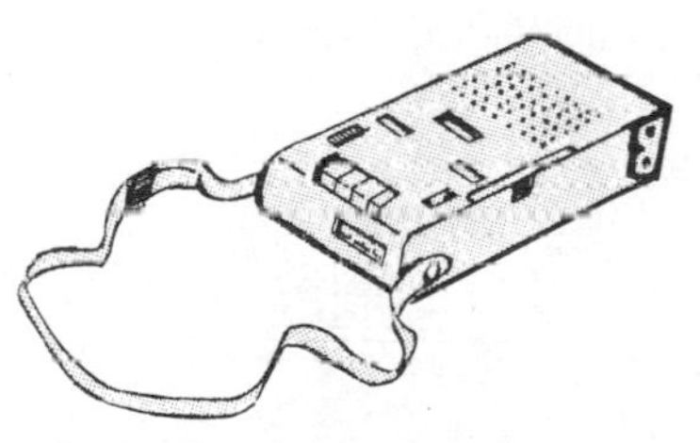

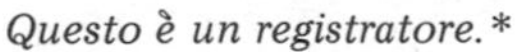

*Questo è un registratore.**

Questa è una cassetta.

Esercizio 1

Un o una?

È una	chiave	______	matita	______	libro
______	signore	______	penna	______	pagina
______	sigaretta	______	tavola	______	microfono
______	fiammifero	______	porta	______	cassetta
______	bottiglia	______	sedia	______	registratore
______	tazza	______	finestra	______	nastro

*registratore = magnetofono

È QUESTO UN MAGNETOFONO?

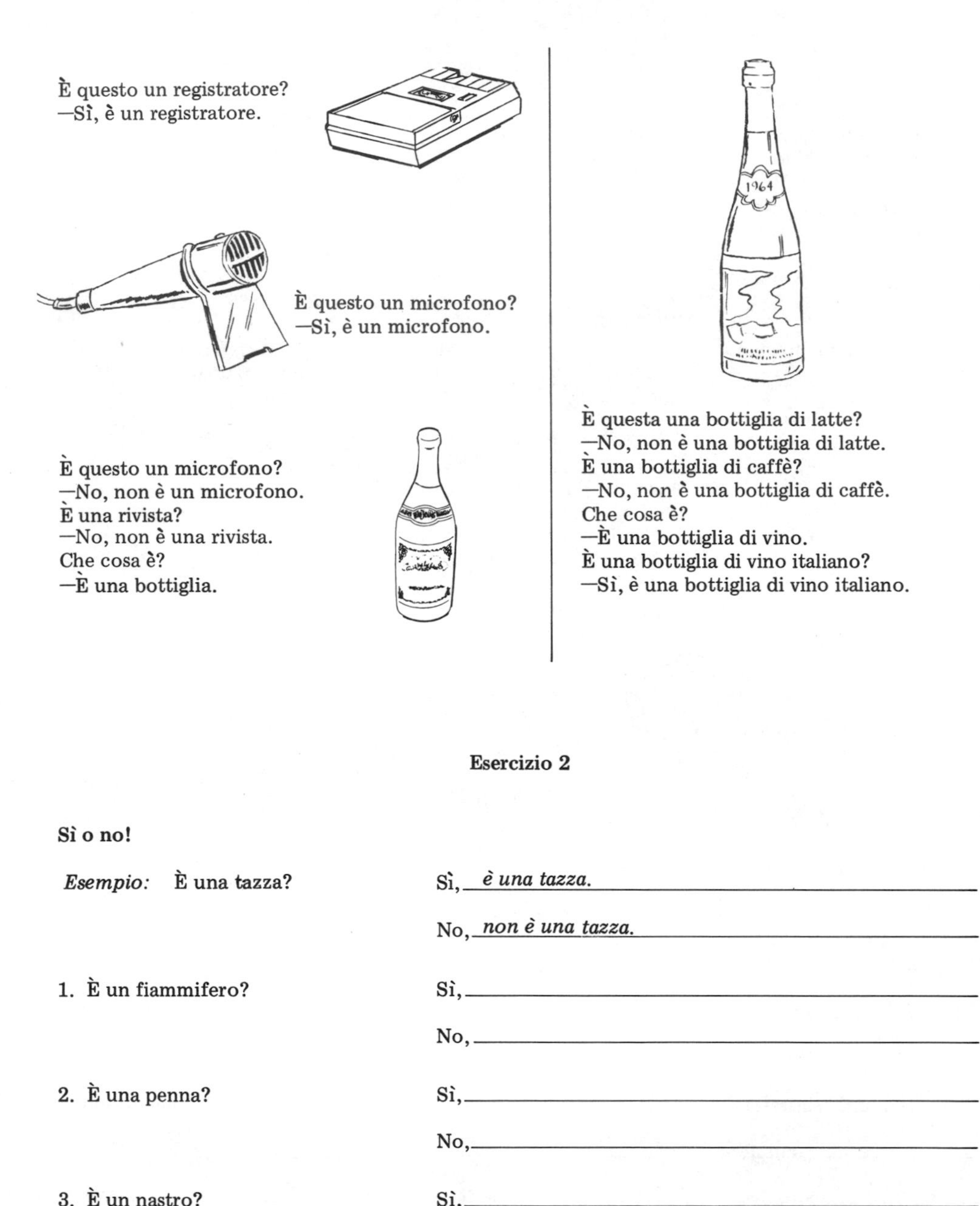

È questo un registratore?
—Sì, è un registratore.

È questo un microfono?
—Sì, è un microfono.

È questo un microfono?
—No, non è un microfono.
È una rivista?
—No, non è una rivista.
Che cosa è?
—È una bottiglia.

È questa una bottiglia di latte?
—No, non è una bottiglia di latte.
È una bottiglia di caffè?
—No, non è una bottiglia di caffè.
Che cosa è?
—È una bottiglia di vino.
È una bottiglia di vino italiano?
—Sì, è una bottiglia di vino italiano.

Esercizio 2

Sì o no!

Esempio: È una tazza? Sì, *è una tazza.*
No, *non è una tazza.*

1. È un fiammifero? Sì, ______
No, ______

2. È una penna? Sì, ______
No, ______

3. È un nastro? Sì, ______
No, ______

4. È una finestra? Sì, ______________________

No, ______________________

5. È una sedia? Sì, ______________________

No, ______________________

DI CHE COLORE È?

Quest*o* è **un** libr*o*.
Il libro è bianc*o*.

Quest*a* è **una** tazz*a*.
La tazza è bianc*a*.

Il libro è . . .	La tazza è . . .
bianco	bianca
nero	nera
rosso	rossa
giallo	gialla
azzurro	azzurra
grigio	grigia
verde	verde
marrone	marrone

Esercizio 3

Esempio: telefono — nero/a *Questo è un telefono.*
Il telefono è nero.

1. tazza — azzurro/a ______________________

____

2. libro — giallo/a ______________________

____

3. cassetta — verde ______________________

____

4. sigaro — marrone ______________________

____

5. tavolo — bianco/a ______________________

____

Esercizio 4

Che numero è?

1	2	3	4	5
uno	due	tre	quattro	cinque
______	______	______	______	______
6	7	8	9	10
sei	sette	otto	nove	dieci
______	______	______	______	______

Cinque . . .

Quattro . . .

Tre . . .

Due . . .

Uno!

CAPITOLO 2-RICAPITOLAZIONE

Che cosa è?
È . . .
—un cane
un cappello
un cappotto
un cinema

—un fiume
un nome
un vestito

—un'autostrada
una borsetta
una camicia
una carta
una città
una cravatta

—una macchina
una nazione
una pianta
una scuola
una strada
una via

Chi è . . . ?
È . . .
—un signore
una signora
una signorina

—il Signor Bianchi
la Signora Bianchi
la Signorina Bianchi

—un ragazzo
una ragazza

—Pierino
Giovanna

Chi è l'insegnante?
—È Lei!

Chi è l'allievo?
—Sono io!

Di chi è . . . ?
È il libro . . .
—del Signor Rossi
dell'insegnante
dello studente
della Signora Rossi

È . . .

—il	mio Suo suo	libro
—la	mia Sua sua	sedia

Qual è la sua professione?
È . . .
—artista
direttore
dottore

—ingegnere
insegnante
segretaria

Quale nazione è?
È . . .
—l'America
la Francia
la Germania
l'Inghilterra
l'Italia

—Monaco

Quale città è?
È . . .
—Roma
Milano
Napoli
Firenze

—Pisa
Berlino
Londra
Parigi

Quale fiume è?
È . . .
—l'Arno
il Tevere

In quale nazione è . . . ?
È . . .
—*in* America
in Francia, ecc.

Di che nazionalità è . . . ?
È . . .
—americano/a
italiano/a
tedesco/a

—francese
inglese

In quale città è . . . ?
È . . .
—*a* Roma
a Parigi, ecc.

NASTRO NUMERO 2

LA CARTA GEOGRAFICA D'ITALIA

Questa è la carta geografica d'Italia. L'Italia è un paese[1] d'Europa. Roma è una città d'Italia. È una grande città italiana.

Pisa è una città d'Italia, ma Pisa non è grande. Pisa è una piccola città italiana.

Che cosa è Via Condotti? Via Condotti non è una città, e non è un paese. Via Condotti è una strada. È una lunga strada di Roma. Via Veneto è una strada, ma non è lunga; è corta. Via Veneto è una strada corta di Roma.

E l'Arno. Che cosa è? È una strada? Una città? No! L'Arno non è una strada, e non è una città. L'Arno è un fiume. È un lungo fiume italiano.

Dov'è Roma?

—È in *Italia!*

Dov'è il Colosseo?

—È a *Roma.*

Paese *(in)*		Città *(a)*	
la Francia	in Francia	Parigi	a Parigi
la Germania	in Germania	Berlino	a Berlino
la Russia	in Russia	Mosca	a Mosca
l'Inghilterra	in Inghilterra	Londra	a Londra
l'Argentina	in Argentina	Buenos Aires	a Buenos Aires
l'Italia	in Italia	Roma	a Roma
il Canada	in Canada	Montreal	a Montreal
il Brasile	in Brasile	Brasilia	a Brasilia
il Messico	in Messico	città del Messico	a città del Messico
gli Stati Uniti	negli Stati Uniti	Washington	a Washington

[1] un paese = una nazione

Esercizio 5

A. *Esempio:* Dov'è il Cremlino? *(Mosca)* — *È a Mosca.*

1. Dov'è Roma? *(Europa)* ____________
2. Dov'è la Scala? *(Milano)* ____________
3. Dov'è Filadelfia? *(Stati Uniti)* ____________
4. Dov'è il Panteon? *(Roma)* ____________
5. Dov'è Parigi? *(Francia)* ____________

B. *Esempio:* Che cosa è Napoli? — *È una grande città italiana.*

1. Che cosa è Milano? ____________
2. Che cosa è l'Arno? ____________
3. Che cosa è Amalfi? ____________
4. Che cosa è il Po? ____________
5. Che cosa è Pisa? ____________

Questo è Paolo con il suo professore, e Maria.

—Maria, questo è il Signor Manzini, il mio professore.
—Buongiorno, Professor Manzini. Molto piacere.
—Piacere mio, Maria.

io	Lei	Paolo/Maria	
il mio *la mia*	*il Suo* *la Sua*	*il suo* *la sua*	**giornale** **rivista**

Esercizio 6

Il mio, la Sua, ecc.

Esempio: Questo è Paolo con il professore. *È il suo professore.*

1. Questo è il signor Rossi con un cane. ____________
2. Questo è Carlo con una cassetta. ____________
3. Questa è la signora Rossi con una borsetta. ____________
4. Questa è Maria con un dottore. ____________
5. Questo sono io con una macchina. ____________
6. Questo sono io con un giornale. ____________
7. Questo è Lei con il professore. ____________
8. Questo è Lei con una rivista. ____________
9. Questo è il direttore con una segretaria. ____________
10. Questa è la segretaria con una borsetta. ____________

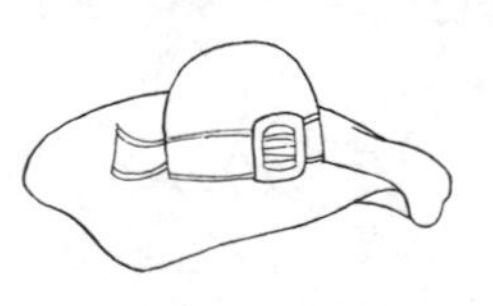

Questo **cappello** *è* **bianco.**

Questo è un **cappello bianco.**

Questo **cappello bianco** *è grande.*

Questa **borsetta** *è* **bianca.**

Questa è una **borsetta bianca.**

Questa **borsetta bianca** *è piccola.*

Esercizio 7

Esempio: città *(inglese — piccolo/a)* — *Questa città è inglese.* / *Questa città inglese è piccola.*

1. sigaro *(marrone — lungo/a)* ______________
2. autostrada *(italiano/a — lungo/a)* ______________
3. libro *(azzurro/a — grande)* ______________
4. macchina *(tedesco/a — piccolo/a)* ______________
5. fiume *(italiano/a — corto/a)* ______________

Questo è il Sig. Carter.

IL SIGNOR CARTER

Chi è questo signore? È il professore? È italiano lui? No, questo signore non è il professore e non è italiano. È un signore inglese.

Ma qual è il suo nome? Qual è il nome di questo signore? È il signor Melzi? Il signor Duval? No, il nome di questo signore non è Melzi e non è nemmeno Duval. Il suo nome è "Carter". Questo è il signor Carter.

Il signor Carter non è in Italia. È a Londra, in Inghilterra.

Il signor Carter non è professore, e non è direttore di scuola. Il signor Carter è ingegnere; è un ingegnere inglese.

(Esercizio pagina 10)

Esercizio 8

(Illustrazione pagina 9)

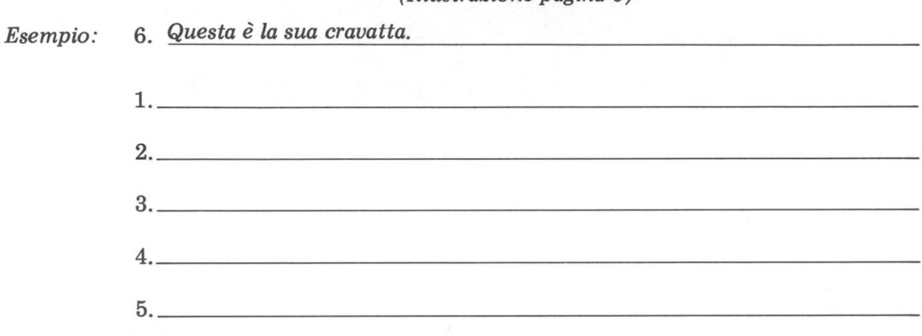

Esempio: 6. *Questa è la sua cravatta.*

1. ____________________

2. ____________________

3. ____________________

4. ____________________

5. ____________________

PAESE E NAZIONALITÀ

la Francia	*francese*
la Germania	*tedesco/a*
la Spagna	*spagnolo/a*
l'Argentina	*argentino/a*
l'Inghilterra	*inglese*
l'Italia	*italiano/a*
il Brasile	*brasiliano/a*
il Canada	*canadese*
il Messico	*messicano/a*
gli Stati Uniti	*americano/a*

Esercizio 9

Esempio: Il signor Rossi è *italiano*; il suo paese è l'Italia.

1. La signora Sanchez è ________________; il suo paese è la Spagna.
2. Il signor Duval è ________________; il suo paese è la Francia.
3. La signora Schmidt è tedesca; il suo paese è ________________.
4. Il signor Carter è ________________; il suo paese è l'Inghilterra.
5. La signora Carpenter è canadese; il suo paese è ________________.

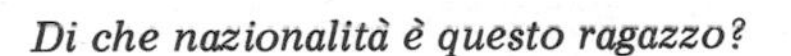
Di che nazionalità è questo ragazzo?

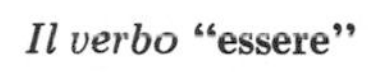
Il verbo "essere"

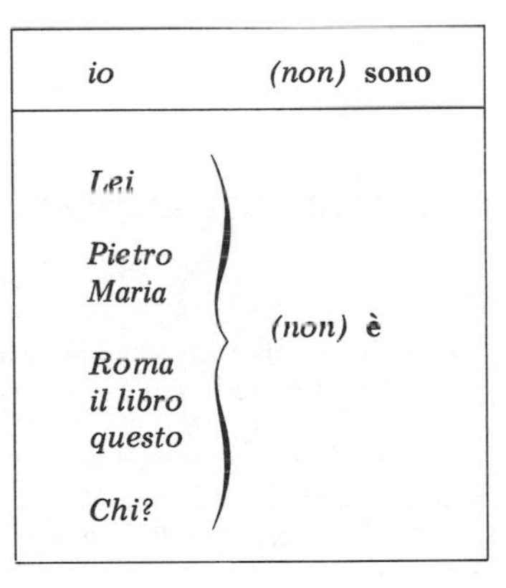

io	*(non)* **sono**
Lei *Pietro* *Maria* *Roma* *il libro* *questo* *Chi?*	*(non)* **è**

Esercizio 10

Esempio: Questo ragazzo ___*è*___ tedesco.

1. Io non ________________ ingegnere.
2. Dov'________________ il signor Melzi?
3. Chi ________________ Lei, signore?
4. Questo non ________________ il mio cappotto.
5. Chi ________________ il professore? ________________ io!

NELL' UFFICIO DEL SIG. BERTINI

Questo è l'ufficio del Sig. Bertini. Chi c'è in questo ufficio? C'è il Sig. Bertini? Sì, nell'ufficio c'è il signor Bertini.

In quest'ufficio c'è anche la signorina Neri. Chi è questa signorina? È la segretaria del Sig. Bertini? Sì, è la sua segretaria.

La signorina Neri è seduta al tavolo. È seduta su una piccola sedia. Davanti a lei, sul tavolo, c'è una macchina da scrivere. Ma che cosa c'è *sotto* il tavolo? Sotto il tavolo c'è una borsetta. È la borsetta della segretaria. È la borsetta della signorina Neri.

Nell'ufficio c'è anche una finestra. Che cosa c'è su questa finestra? È un nome o un numero? Ah sì! È un numero, un numero di telefono. È il numero di telefono del signor Bertini.

Dietro al Sig. Bertini c'è una porta. È la porta dello ufficio. Ma che cosa c'è *sotto* la porta? Sotto la porta, sul pavimento, c'è un giornale. È il giornale del Sig. Bertini.

Esercizio 11

1. Dov'è il signor Bertini?

___

2. Qual è il nome della sua segretaria?

___

3. È seduto o è in piedi il signor Bertini?

___

4. E la segretaria?

___

5. Dov'è la sua borsetta?

___

6. Che cosa c'è sotto la porta?

___

7. C'è un telefono in quest'ufficio?

___

8. Dov'è?

___

9. Che cosa c'è sulla finestra, un nome o un numero di telefono?

___

10. Qual è il numero di telefono del signor Bertini?

___

Il signor Carbone è in un bar di Firenze:

—Ecco un'altra tazza di caffè, signore.
—Grazie! Molte grazie.

un numero	*una tazza*
un altro *numero*	*un'*altra *tazza*

Esercizio 12

Esempio: Che cosa è il "5"? E il "10"? *(numero)*

Il "5" è un numero; il "10" è un altro numero.

1. Che cosa è la Fiat? E la Ferrari? *(macchina italiana)*

____

2. Che cosa è il Chianti? E il Verdicchio? *(vino italiano)*

____

3. Che cosa è l'Italia? E la Francia? *(nazione d'Europa)*

____

4. Che cosa è Roma? E Milano? *(città italiana)*

____

5. Che cosa è il Tevere? E l'Arno? *(fiume italiano)*

____

CAPITOLO 3-RICAPITOLAZIONE

Che cosa è?
È . . .
—un aereo
un aeroporto
un albergo
un bar
un bicchiere
un caffelatte
un corridoio
un garage
un pacchetto
—un paese
un parcheggio
un pavimento
un porto
un quadro
un tappeto
un treno
un ufficio

È uno stato.
uno zero

È . . .
—un'aula
una classe
una lampada
una macchina da scrivere
una nave
una parete
una scrivania
una stanza

È un treno.
È un *altro* treno.

È una stanza.
È un'*altra* stanza.

Chi è . . . ?
È . . .
—uno *sp*agnolo.
uno *st*udente
uno *sv*izzero

Dove è . . . ?
È qui.
lì

È seduto/a alla scrivania.
in piedi alla finestra
per terra

È *su* questo tavolo.
sul pavimento
sulla scrivania

È *in* questa stanza.
nel corridoio
nella scatola

È al telefono.
all'ufficio
alla porta

È sotto la sedia.
sopra il tavolo

È dietro di lui.
il tavolo
l'insegnante
la porta

È davanti a me.
al tavolo
all'insegnante
alla porta

C'è un telefono qui?
—Sì, c'è un telefono qui.
No, non c'è un telefono qui.

Anche / Nemmeno
—Il libro è bianco.
Anche il pacchetto è bianco.

—Il libro non è rosso.
Nemmeno il pacchetto è rosso.
(Il pacchetto *non* è rosso *nemmeno*.)

Quale . . . ?
—Questo treno / quel treno . . .
—Questa stanza / quella stanza . . .

Con chi parla la signorina?
—Parla con me.
Lei
lui (Carlo)
lei (Maria)

BUONGIORNO!

Io sono il professore. Sono italiano; sono il professore d'italiano di questa scuola. Questa è la classe d'italiano, la mia classe.

Chi c'è in questa classe con me? Chi è seduto davanti a me? Il direttore? La segretaria? No, non è il direttore e *nemmeno* la segretaria. È il mio studente, il signor Porter.

Che cosa c'è in questa classe? Dietro di me c'è un piccolo tavolo. Su questo tavolo c'è un libro bianco. E sotto il tavolo che cosa c'è? Una matita? Sì, sotto il tavolo c'è una matita corta.

E sulla parete? C'è un quadro sulla parete? No, non c'è un quadro sulla parete; c'è una carta geografica. È la carta geografica d'Europa.

C'è una sedia qui? Si, il signor Porter è seduto su questa sedia. E per me? C'è un'altra sedia per me? No, non c'è una sedia per me. Non c'è una sedia per il professore!

Esercizio 13

1. C'è un tavolo in questa classe?

____

2. Dov'è il tavolo, dietro di me o dietro il signor Porter?

____

3. Che cosa c'è sulla parete?

____

4. Dov'è il libro, *sul* tavolo o *sotto* il tavolo?

____

5. Che cosa c'è sotto il tavolo?

____

6. È Lei in questa classe?

____

7. È in piedi Lei?

____

8. Lei è il professore o lo studente?

____

9. Sono io il direttore della scuola?

____

10. Chi è il professore d'italiano?

____

Attenzione!

un *treno*	una *macchina*
un aer*oporto*	un'au*tostrada*

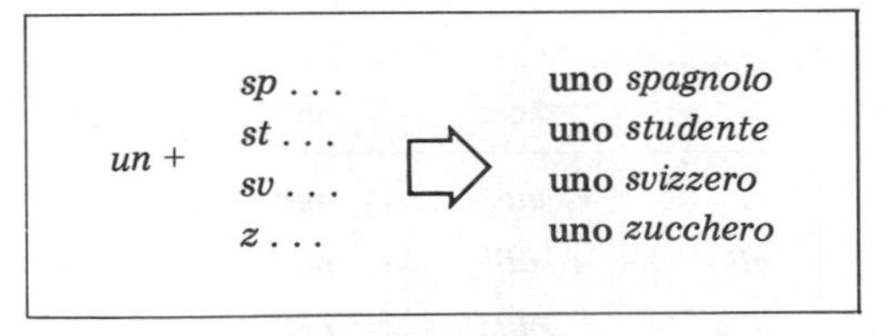

(Esercizio pagina 18)

Esercizio 14
(Specchio pagina 17)

Un, una, un', o uno?

____________ stato	____________ porto	____________ studente
____________ classe	____________ aereo	____________ scrivania
____________ quadro	____________ svizzero	____________ aula
____________ tappeto	____________ bicchiere	____________ bar

Attenzione!

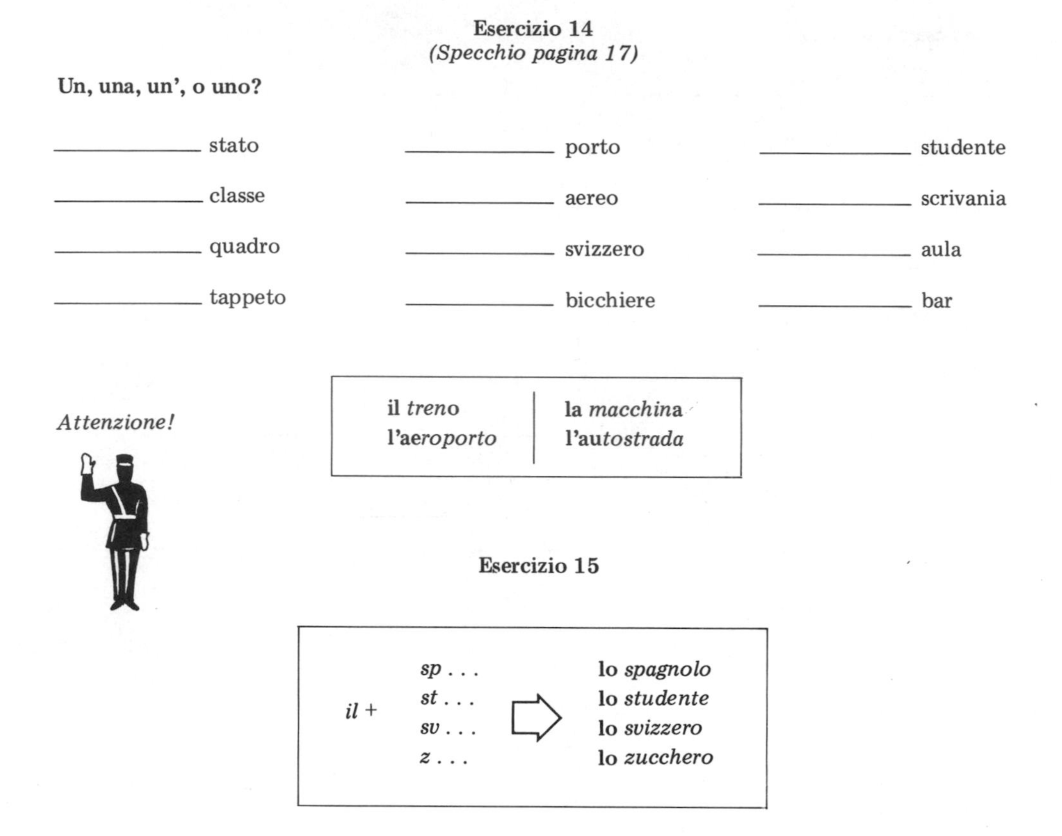

il *treno*	la *macchina*
l'aer*oporto*	l'au*tostrada*

Esercizio 15

il +	*sp . . .*	⇨	lo *spagnolo*
	st . . .		lo *studente*
	sv . . .		lo *svizzero*
	z . . .		lo *zucchero*

Il, la, l' o lo?

____________ pavimento	____________ zero	____________ parcheggio
____________ parete	____________ stazione	____________ albergo
____________ stato	____________ studente	____________ spagnolo
____________ lampada	____________ nave	____________ pacchetto

	a	su	in	di
il	*al*	*sul*	*nel*	*del*
l'	*all'*	*sull'*	*nell'*	*dell'*
la	*alla*	*sulla*	*nella*	*della*
(lo)	*(allo)*	*(sullo)*	*(nello)*	*(dello)*

Esercizio 16

Esempio: Il signor Pieri è al telefono.

1. Cosa c'è ____________ questa bottiglia?
2. Il vino è ____________ bicchiere.
3. La signorina Manzini è la segretaria ____________ scuola.
4. Il Foro Romano è ____________ Roma.
5. C'è una macchina davanti ____________ ristorante.
6. Chi c'è ____________ porta?
7. Il cane è seduto ____________ pavimento.
8. Qual è il numero di telefono ____________ quella ragazza?
9. Quante stanze ci sono ____________ casa sua?
10. Ci sono molti aerei ____________ aeroporto.
11. Cosa c'è ____________ quel pacchetto?
12. Dov'è l'ufficio ____________ direttore?
13. Non c'è il Colosseo ____________ pianta di Napoli.
14. Qual è la capitale ____________ Italia?
15. L'autobus è davanti ____________ stazione.

—Di che nazionalità è Lei, signor Rubini?
—Sono svizzero, signora.
—Oh! Anche questa signora è svizzera!
Signora Catanese, questo è il signor Rubini.
—Molto piacere signora!

(Esercizio pagina 20)

Esercizio 17
(Dialogo pagina 19)

Esempio: La signora è svizzera. *(il signore)*

Anche il signore è svizzero.

Io non parlo giapponese. *(Paolo)*

Nemmeno Paolo parla giapponese.

1. L'Italia è un paese d'Europa. *(la Francia)*

____

2. Questa casa non è piccola. *(quella casa)*

____

3. In questa stanza c'è una lampada. *(in quella stanza)*

____

4. Questo parcheggio non è grande. *(questa casa)*

____

5. Lei non è seduto per terra. *(io)*

____

6. Io non parlo con la segretaria. *(Lei)*

____

7. La macchina da scrivere è sulla scrivania. *(il telefono)*

____

8. In quest'albergo c'è un bar. *(in quell'albergo)*

____

9. La porta non è dietro di me. *(la sedia)*

____

10. Io sono in piedi alla finestra. *(Lei)*

____

CAPITOLO 4-RICAPITOLAZIONE

Che cosa è?
È . . .
—un aperitivo
un autobus
un biglietto
un film
—un orologio
un tassì
un taxi

È . . .
—del denaro
del tè

È . . .
—una borsa
una casa
una lezione
—una mano
una tasca
un'ora

È . . .
—dell'acqua
della musica

Che cosa fa Carlo?
—Viene a scuola.
Porta il suo libro in mano.
Va alla sua classe.
Apre la porta.
Entra nella classe.
Mette il suo libro sul tavolo.
Risponde all'insegnante.
Ripete.
Chiude il suo libro.
Prende l'autobus.
Ritorna a casa.
Ascolta un nastro.
Fuma una sigaretta.

Che cosa prende Carlo?
Prende . . .
—la matita
l'autobus
—un caffè
una lezione

Dove prende Lei . . . ?
—. . . il treno?
Lo prendo alla stazione.

—. . . la lezione?
La prendo a scuola.

Come prende Lei il caffè?
—Lo prendo *con* zucchero.
senza

Perchè prende la macchina?
Prendo la macchina . . .
—per andare alla stazione
ritornare a casa
venire a scuola

Dove va Lei?
Vado . . .
—a casa
al cinema
—all'ufficio
alla porta

Da dove viene Lei?
Vengo . . .
—da casa
dal cinema
—dall'ufficio
dalla porta

Che ora è?
È l'una.

Sono . . .
—le due, tre, quattro, ecc.

A che ora viene?
Viene . . .
—all'una
—alle due, tre, quattro, ecc.

Com'è questo film?
È . . .
—buono / cattivo

Saluti
—"Buongiorno"
"Buona sera"
"Buona notte"

—"Ciao"

—"Come sta?"
"Sto bene. Grazie."
"Sto male."

NASTRO NUMERO 4

AL BAR DELLA STAZIONE

Ecco il Suo caffè, signora.

Persone: *Il signor Melzi*
La signora Righini
La signorina del bar

La signorina del bar — Prende un caffè, signor Melzi?

Il signor Melzi — Sì, grazie.

La signorina del bar — E Lei, signora Righini?

La signora Righini — Prendo un caffè anch'io.

(La signorina va via e poi ritorna con due tazze di caffè.)

La signorina del bar — Ecco il Suo caffè, signora. E il Suo, signor Melzi.

Il signor Melzi — Lo zucchero, signorina. Per favore, porti lo zucchero.

La signorina del bar — Sì, vengo, vengo.

La signora Righini — E porti il latte per me, signorina.

(La signorina va a prendere il latte e lo zucchero.)

Il signor Melzi — Questo caffè è buono, non è vero?

La signora Righini — Sì, è molto buono.

Il signor Melzi — Al cinema c'è un buon film. Viene al cinema con me, signora?

La signora Righini — Oh sì, grazie.

(Dal nastro numero 4)

Esercizio 18

Risponda, per favore!

1. È in un bar o in un ristorante il signor Melzi?

2. Con chi è?

3. Che cosa prende il signor Melzi?

4. Che cosa prende la signora?

5. Chi porta il caffè?

6. Porta anche lo zucchero?

7. Chi prende il caffè con zucchero?

8. Che cosa mette nel caffè la signora?

9. È buono il caffè?

10. Poi, dove va il signor Melzi con la signora Righini?

CHE ORA È?

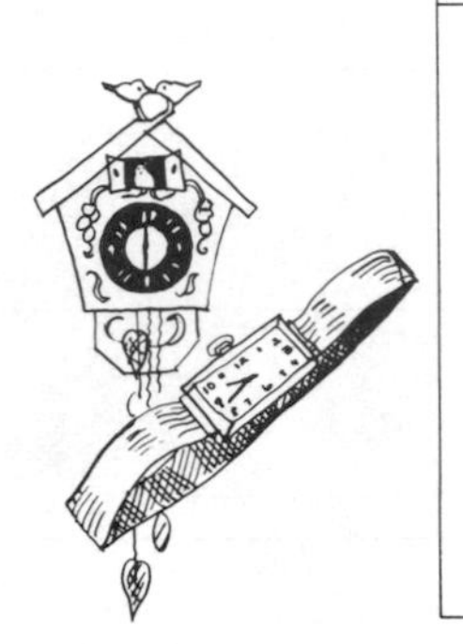

1:00	È l'una.
2:00	Sono le due.
3:00	Sono le tre.
3:10	Sono le tre e dieci.
3:15	Sono le tre e un *quarto*.
3:25	Sono le tre e venticinque.
3:30	Sono le tre e *mezzo*.
3:45	Sono le quattro *meno* un quarto.
3:55	Sono le quattro meno cinque.

Che ora è?
—Sono le tre.

A che ora viene l'autobus?
—Viene *alle* tre.

Esercizio 19

Che ora è?

4. ____________________

5. ____________________

Esercizio 20

1. A che ora vado io a scuola? *(7:30)* ____________________

2. A che ora prendo l'autobus? *(7:40)* ____________________

3. A che ora entro in classe? *(8:00)* ____________________

4. A che ora ritorno a casa? *(9:45)* ____________________

5. A che ora ascolto il nastro? *(10:05)* ____________________

Esercizio 21

Il, la, o l'?

________ tassì	________ rivista	________ tè
________ biglietto	________ barca	________ aperitivo
________ mano	________ lezione	________ notte
________ tasca	________ acqua	________ musica

UNO STUDENTE

Questo ragazzo è Pietro. Lui è uno studente della scuola Berlitz. Pietro viene a scuola alle 6; apre la porta ed entra nella sua classe. Pietro porta in classe un libro d'italiano e lo mette sul tavolo.

Ma che fa Pietro in classe? Prende un aperitivo? Ascolta la radio? No! In classe lui prende lezioni d'italiano. Ascolta il suo professore, ripete e risponde. Alle sette la sua lezione è finita. Il professore apre la porta e va via. Pietro chiude il suo libro, va al parcheggio per prendere la sua macchina e torna a casa.

A casa mette una cassetta nel registratore. Poi fuma una sigaretta ed ascolta il nastro.

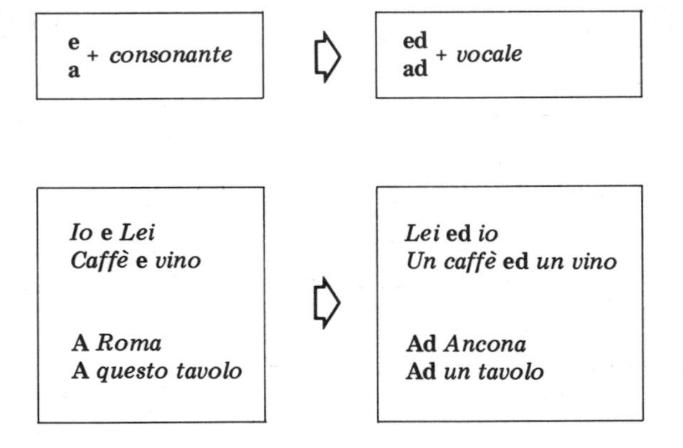

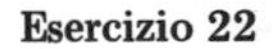

Esercizio 22

Cosa fa Pietro?

a. Va a scuola alle sei.
b. Apre la porta ed entra nella classe.
c. Prende lezione d'italiano.
d. Ascolta il suo professore, ripete e risponde.
e. Poi torna a casa ed ascolta il nastro.

1. E Lei, cosa fa?

   a. Vado a scuola ______

   b. ______

   c. ______

   d. ______

   e. ______

2. Ed io, che cosa faccio?

   a. Lei va ______

   b. ______

   c. ______

   d. ______

   e. ______

3. Per favore!

   a. Vada ______

   b. ______

   c. ______

   d. ______

   e. ______

io	*Lei/lui/lei*	*Per favore!*	*Per . . .*
entro	entra	Entri!	entrare
porto	porta	Porti!	portare
fumo	fuma	Fumi!	fumare
ascolto	ascolta	Ascolti!	ascoltare
ritorno	ritorna	Ritorni!	ritornare
prendo	prende	Prenda!	prendere
metto	mette	Metta!	mettere
chiudo	chiude	Chiuda!	chiudere
ripeto	ripete	Ripeta!	ripetere
rispondo	risponde	Risponda!	rispondere
apro	apre	Apra!	aprire
vengo	viene	Venga!	venire
vado	va	Vada!	andare
faccio	fa	Faccia!	fare
sono	è	Sia!	essere

Esercizio 23

Esempio: Il signor Melzi prende un caffè.

La signora Righini *prende un caffè.* ______

Per favore, *prenda un caffè!* ______

1. Io rispondo al professore.

Lei ______

Per favore, ______

2. Lei apre il Suo libro.

Io ______

Per favore, ______

3. Lo studente ascolta il nastro.

   Lei ______________________________

   Io metto la cassetta per ______________________________

4. Io *non* fumo nella classe.

   Il direttore ______________________________

   Per favore, ______________________________

5. Per favore, venga alle 3!

   Io ______________________________

   Maria ______________________________

6. Il signor Melzi prende un caffè.

   Lui va al bar per ______________________________

   Per favore, ______________________________

7. Che cosa fa Lei?

   ______________________________ io?

   ______________________________ Giovanni?

8. A che ora viene a scuola Paolo?

   ______________________________ Lei?

   ______________________________ io?

9. Per favore, entri!

   Io vado alla porta per ______________________________

   Io ______________________________

10. Pietro fa il suo esercizio.

    Io ______________________________

    Per favore, ______________________________

—Buon giorno, Vittoria, come sta?
—Sto bene, grazie, Roberto. E Lei?
—Bene grazie, ma dove va Lei, Vittoria?
—Vado a scuola.
—A scuola?
—Sì, per prendere lezioni d'italiano.
Ecco il mio autobus. Ciao, Roberto!
—Ciao, Vittoria!

Esercizio 24

Esempio: Vittoria va a scuola. Prende lezioni d'italiano.

Vittoria va a scuola per prendere lezioni d'italiano.

1. Io prendo la chiave. Chiudo la porta della macchina.

____

2. L'allievo apre la porta. Entra in classe.

____

3. Io apro il garage. Prendo la macchina.

____

4. Lei mette il nastro nel registratore. Ascolta la musica.

____

5. Il signor Rossi va al bar. Prende una tazza di caffè.

____

Esercizio 25

Esempio: Io apro il libro.

(scatola)	*Io apro* **la scatola.**
(chiudere)	*Io* **chiudo** *la scatola.*
(Luigi)	**Luigi** *chiude la scatola.*

1. (giornale)____
2. (prendere)____
3. (Lei)____
4. (cassetta)____
5. (ascoltare)____
6. (io)____
7. (Per favore!)____
8. (nastro)____
9. (quest'esercizio)____
10. (fare)____

—Sissignora! Che cosa prende?
—Una tazza di caffè, per favore.
—Caffè con latte, signora? Lei prende caffelatte?
—No! Senza latte e senza zucchero, per favore.
—Un caffè nero. Va bene, signora!

Questa signora è in un bar di Firenze. È seduta ad un tavolino* del bar. La signora non prende vino, e nemmeno birra; lei prende una tazza di caffè. Ma come prende questa signora il suo caffè? Con latte e zucchero? No, prende il suo caffè senza latte e senza zucchero. Lo prende nero.

Esercizio 26

Risponda, per favore!

1. È in una scuola questa signora?

___

2. Dov'è la signora?

___

*tavolino = piccolo tavolo

3. Prende un bicchiere di vino?

____

4. Cosa prende?

____

5. Lo prende con o senza latte?

____

La signora prende **il caffè.**	*La signora prende* **la tazza.**
Lo *prende nero.*	**La** *prende in mano.*

Esercizio 27

Risponda con *lo* o *la*!

A. *Esempio:* Io prendo il biglietto. — *Lo prendo.*

1. Io fumo il sigaro. _______________
2. Il direttore apre l'ufficio. _______________
3. Io non ascolto la radio. _______________
4. La segretaria chiude la sua borsetta. _______________
5. Lei non mette il suo vestito nero. _______________

B. *Esempio:* Per favore, non chiuda la finestra! — *Non la chiuda!*

1. Per favore, prenda questo giornale! _______________
2. Per favore, non fumi questa sigaretta qui! _______________
3. Per favore, ripeta il Suo nome! _______________
4. Per favore, non prenda questo treno! _______________
5. Per favore, faccia quest'esercizio! _______________

CAPITOLO 5-RICAPITOLAZIONE

Che cosa è?
È . . .
—la testa

Sono . . .
—i capelli
i piedi
le mani (la mano)
gli occhi (l'occhio)

Quale . . . è?
È . . .

—l'occhio	destro/a
la mano	sinistro/a

Dov'è . . . ?
È . . .
—a destra / sinistra

La famiglia:
I genitori
—il padre
la madre

I figli:
—il figlio
il fratello
la figlia
la sorella

Che vestiti porta Lei?
—Io porto (un paio di) scarpe.
guanti

—Carlo porta vestiti da uomo:
—calzini
pantaloni
una giacca

—Maria porta vestiti da donna:
—calze
una gonna
una camicetta
un tailleur

Quanto fa . . . ?

5 più 3		8
5 per 3	fa	15
5 meno 3		2

Quanto costa questo?
Costa . . .

—un dollaro	—un marco
due dollari	due marchi
—un franco	—una lira
due franchi	due lire

Quanti chilometri ci sono . . . ?
—Da Roma a Milano ci sono 500 km.

Che cosa fa Paolo?
—Conta il suo denaro.
Compra un biglietto.
Fa un viaggio a Roma.

Che cosa c'è in questa stanza?

C'è . . .	Ci sono . . .
—un tavolo	—due tavoli
una sedia	due sedie

Quali . . . ?

—questi quei (quelli)	libri
—queste quelle	scarpe
—questi quegli	studenti

Il verbo "avere"

Io	ho	1000 Lire.
Lei lui lei	ha	

NASTRO NUMERO 5

Dal giornalaio

—Ha giornali francesi, per favore?

—Ho solamente "Le Monde" signore. È un giornale di Parigi.

—Va bene, lo prendo. Prendo anche queste due riviste.

—Bene, signore.

—Ha sigarette inglesi Lei?

—No signore, ho solamente sigarette italiane, francesi e americane.

—Bene, allora prendo due pacchetti di queste americane. Quant'è, per favore?

—Un giornale, due riviste e due pacchetti di sigarette . . . 6.000 lire, signore.

—Ecco, prenda.

—Molte grazie, signore.

NUMERI, NUMERI, NUMERI!

1	uno	11	undici	21	ventuno
2	due	12	dodici	22	ventidue
3	tre	13	tredici	23	ventitre
4	quattro	14	quattordici	24	ventiquattro
5	cinque	15	quindici	25	venticinque
6	sei	16	sedici	26	ventisei
7	sette	17	diciassette	27	ventisette
8	otto	18	diciotto	28	ventotto
9	nove	19	diciannove	29	ventinove
10	dieci	20	venti	30	trenta

10	dieci	101	cento uno
20	venti	102	cento due
30	trenta	103	cento tre
40	quaranta	104	centoquattro
50	cinquanta	200	duecento
60	sessanta	300	trecento
70	settanta	400	quattrocento
80	ottanta	500	cinquecento
90	novanta	1000	mille
100	cento	2000	duemila

1976 *mille novecento settanta sei*

Quanto fa . . . ?

Due più tre fa cinque. Quattro per due fa otto. Sette meno tre fa quattro.

Esercizio 28

Quanto fa . . . ?

Esempio: 5 x 2 *Cinque per due fa dieci.*

1. 13 + 27 ________________
2. 20 x 4 ________________
3. 11 − 6 ________________
4. 3 x 7 ________________
5. 41 − 27 ________________
6. 8 + 7 ________________
7. 21 − 4 ________________
8. 8 x 5 ________________
9. 21 + 33 ________________
10. 6 x 4 ________________

Quanti chilometri ci sono . . . ?

	Milano	*Roma*	*Pisa*	*Parigi*
Milano	—	*500*	*220*	*550*
Roma	*500*	—	*300*	*1050*
Pisa	*220*	*300*	—	*770*
Parigi	*550*	*1050*	*770*	—

Esercizio 29

Esempio: Roma / Milano   *Da Roma a Milano ci sono cinquecento chilometri.*

1. Milano / Pisa ____________________
2. Roma / Parigi ____________________
3. Roma / Pisa ____________________
4. Pisa / Parigi ____________________
5. Parigi / Milano ____________________

LA FAMIGLIA ROSSI

Questa è la famiglia Rossi: il signor Rossi, la signora Rossi ed i figli. Il signor e la signora Rossi sono i genitori. Hanno tre figli: un figlio e due figlie.

Il nome del ragazzo è Pietro. Pietro non ha un fratello, ma ha due sorelle, Giovanna ed Angelina. Giovanna ha un fratello ed una sorella. Anche Angelina ha un fratello ed una sorella.

Dov'è la famiglia Rossi? In un ristorante? All'aeroporto? No! La famiglia Rossi è a casa. Il signor Rossi, il padre, è seduto in una poltrona.* La signora Rossi, la madre, è in piedi davanti a lui. Ha una tazza di caffè in mano. Per chi è quel caffè? Per Pietro? Ma no! Il caffè è per il signor Rossi.

E Pietro, dov'è? Che cosa fa lui? Pietro è seduto sul pavimento. Ha un libro d'illustrazioni in mano davanti a lui. E Angelina, la bambina†, dov'è? Che cosa fa? Lei è seduta ad un piccolo tavolo. Anche lei ha un libro in mano. Giovanna, sua sorella, è al telefono, davanti alla finestra.

La famiglia Rossi ha un cane. E dov'è questo cane? Ah, sì! È seduto lì, sotto il tavolo grande. E che cosa c'è su questo tavolo? Sul tavolo ci sono la radio ed il telefono.

(Esercizio pagina 40)

* poltrona = grande sedia
† bambina = piccola ragazza

Esercizio 30
(Lettura pagina 39)

Risponda, per favore!

1. È a casa o in un ristorante la famiglia Rossi?

____

2. Chi è seduto in una poltrona?

____

3. Chi ha una tazza di caffè in mano?

____

4. Quanti figli ci sono nella famiglia Rossi?

____

5. Qual è il nome della bambina?

____

6. Quante sorelle ha Pietro?

____

7. Quanti fratelli hanno Giovanna ed Angelina?

____

8. Cosa ha in mano Pietro?

____

9. Ha un cane la famiglia Rossi?

____

10. Sotto quale tavolo è seduto?

____

Esercizio 31

La Famiglia

Esempio: Il signor Rossi è <u>*il padre*</u> di Pietro.

1. Angelina è ________________ di Pietro.
2. Il signor e la signora Rossi sono ________________ di Pietro, Giovanna ed Angelina.
3. Pietro è ________________ di Giovanna.
4. La signora Rossi è ________________ di Angelina.
5. Giovanna è ________________ del signor Rossi.

IL VERBO "AVERE"

Io	*(non)* **ho . . .**
Lei *Il signore (lui)* *La signora (lei)* *Chi . . . ?*	*(non)* **ha . . .**

Esercizio 32

Essere e avere

Esempio: Io <u>*sono*</u> l'allievo e <u>*ho*</u> un libro d'italiano.

1. La signora Mascioni ________ madre e ________ due figlie.
2. Io ________ americano e ________ una grande macchina.
3. Vittoria ________ una ragazza e ________ i capelli neri.
4. Lei ________ in classe e ________ un libro in mano.
5. Il signor Carter ________ ingegnere e ________ un ufficio a Londra.

Singolare — Plurale

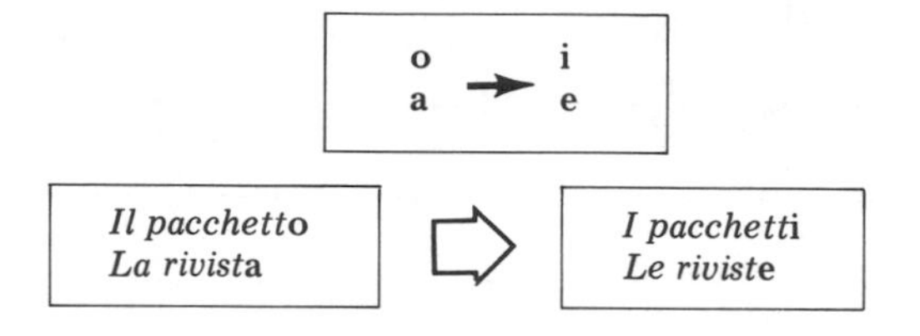

Esercizio 33

Esempio: treno: *Ecco il treno!* *Ecco i treni!*

1. vestito: ________________ ________________
2. carta: ________________ ________________
3. biglietto: ________________ ________________
4. macchina: ________________ ________________
5. matita: ________________ ________________

—*Scusi, per favore, c'è un treno per Firenze alle tre?*

—*Ci sono due treni, signore: uno alle due e cinquantacinque e un altro alle tre e dieci.*

—*Grazie.*

—*Prego.*

Esercizio 34

Esempio: C'è un treno per Roma alle tre.

Ci sono due treni per Roma alle tre.

1. C'è una sedia nella classe.

   ____

2. C'è un tavolo dietro di me.

   ____

3. C'è una finestra in questa camera.

   ____

4. C'è un sigaro nella scatola.

   ____

5. C'è una rivista sul tavolo.

   ____

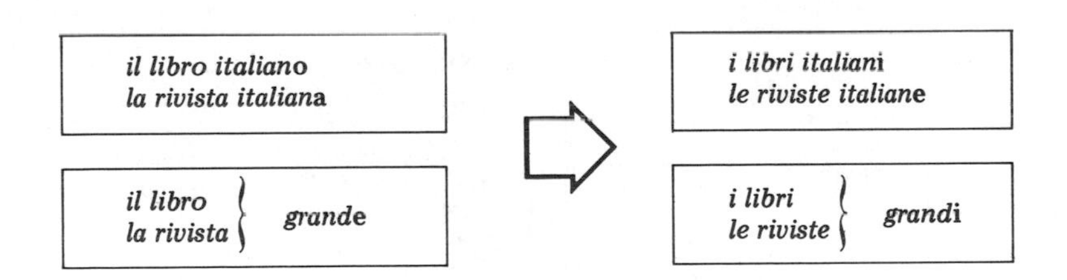

Esercizio 35

A. *Esempio:* Ecco una casa piccola. *Ecco due case piccole.*

1. Ecco un fiammifero corto. ______________
2. Ecco una penna corta. ______________
3. Ecco una bella ragazza. ______________

4. Ecco un telefono nero. ______________________

5. Ecco una borsa marrone. ______________________

B. *Esempio:* Un libro italiano costa 2000 lire.

Quanto costano due libri italiani?

1. Un sigaro buono costa 500 lire.

____

2. Un giornale francese costa 1000 lire.

____

3. Una rivista italiana costa 1200 lire.

____

4. Un vestito italiano costa 250.000 lire.

____

5. Una macchina inglese costa 15.000.000 di lire.

____

QUESTO — QUESTA

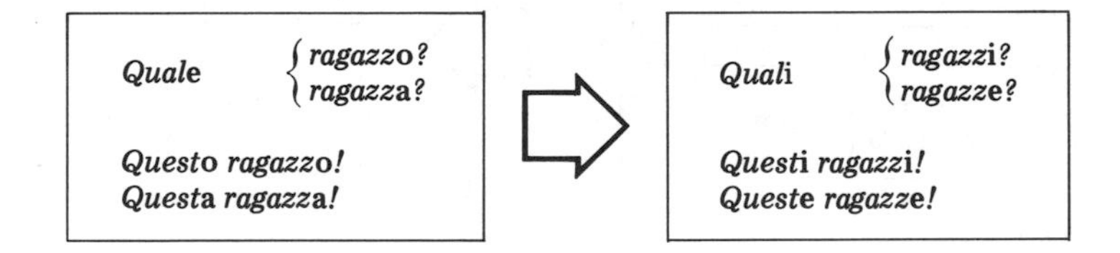

Esercizio 36

Questo/a/i/e

Esempio: Questo signore è americano. *Questi signori sono americani.*

1. Questa strada è cattiva. ______________________

2. Quest'aereo è grande. ______________________

3. Questo signore è seduto. ______________________

4. Questa cravatta è verde. ______________________

5. Questa chiave è lunga. ______________________

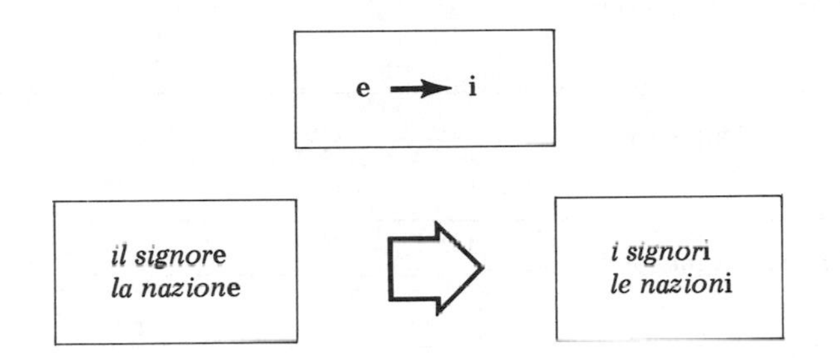

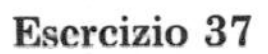

Esercizio 37

Esempio: Io ho un giornale.

Quanti giornali ha Lei?

1. Io ho un bicchiere di vino.

   ______________________________ Lei?

2. Questa città ha una stazione.

   ______________________________ Napoli?

3. Io ho una lezione domani.

   ______________________ Paolo __________ ?

4. C'è una classe in questa scuola.

   ______________________________ in quella scuola?

5. Un professore è francese.

   ______________________________ italiani?

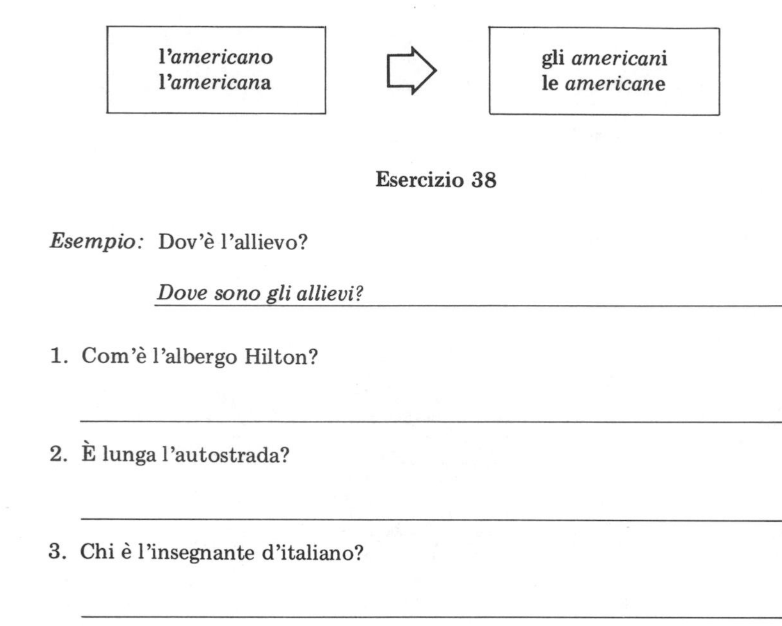

Esercizio 38

Esempio: Dov'è l'allievo?

Dove sono gli allievi?

1. Com'è l'albergo Hilton?

   ____

2. È lunga l'autostrada?

   ____

3. Chi è l'insegnante d'italiano?

   ____

4. Dov'è l'aereo per Milano?

   ____

5. È azzurra l'acqua del Mediterraneo?

   ____

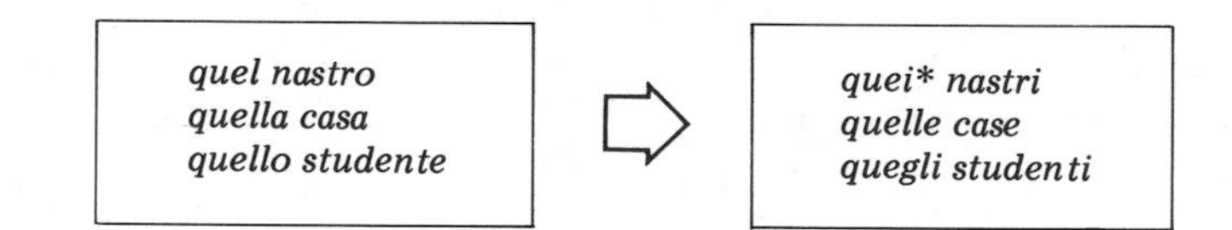

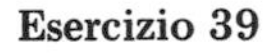

Esercizio 39

Quello/a/i/e

Esempio: Quel quadro è bello. *Quei quadri sono belli.*

1. Quella cassetta è piccola. ______________
2. Quello stato è grande. ______________
3. Quel fiume è lungo. ______________
4. Quello studente è seduto. ______________
5. Quella signorina è francese. ______________

*quei = quelli

Esercizio 40

Esempio: *Questo ragazzo ha* gli occhi azzurri.

Questi ragazzi hanno gli occhi azzurri.

1. *Quell'allieva è* a scuola.

   ____

2. *Questo treno è lungo.*

   ____

3. *Quel signore ha* i capelli neri.

   ____

4. *Quella signora è tedesca.*

   ____

5. *Questo giornale costa* mille lire.

   ____

6. *Questa macchina italiana fa* 150 km. all'ora.

   ____

7. *Questo studente tedesco ha* denaro per il direttore.

   ____

8. *Questa nave francese è grande.*

   ____

9. *Quel pacchetto di sigarette costa* 1500 lire.

   ____

10. *Quest'aereo fa* 900 km. all'ora.

    ____

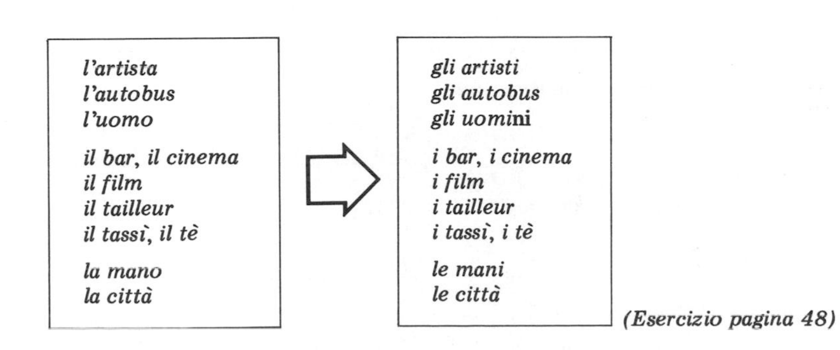

(Esercizio pagina 48)

Esercizio 41
(Specchio pagina 47)

Esempio: *L'autobus è* davanti alla stazione.

Gli autobus sono davanti alla stazione.

1. *L'uomo è seduto* in classe.

____

2. Lui ha *la mano* in tasca.

____

3. *Il tassì è* davanti all'aeroporto.

____

4. *Questo film americano è buono.*

____

5. *Questa città italiana è grande.*

____

6. *L'autobus fa* 100 km/ora.

____

7. *Questo artista italiano è buono.*

____

8. *Questo bar è* molto *piccolo.*

____

9. *Il cinema è* molto *grande.*

____

10. *Questo tailleur costa* 150.000 lire.

____

CAPITOLO 6-RICAPITOLAZIONE

Che cosa è?
È . . .
—un hotel
 un negozio
 un teatro

—del tabacco

—una università

Dov'è . . . ?
È . . .
—accanto all'ufficio
—fra l'hotel ed il teatro

Chi è?

—È	Lei! lui! lei!	—Sono	Loro! essi! esse!

Chi ha il biglietto?
—*Ce l'*ho io!
 *Ce l'*ha Paolo!

NASTRO NUMERO 6

—*Tre biglietti per Milano, per favore.*

Ecco la famiglia Bianchi. I Bianchi sono in tre: i genitori e una figlia, Sofia. Ma dov'è la famiglia Bianchi? Ah sì, sono alla stazione. Il signor Bianchi compra i biglietti. Dove va con la sua famiglia? Va a Roma? No, questo signore sta alla stazione Termini di Roma. Il signor Bianchi va a Milano. Lui va da Roma a Milano con il treno. Ma dov'è il treno? Ah! Eccolo! È lì dietro la signora Bianchi e Sofia.

Esercizio 42

Risponda, per favore!

1. Dov'è la famiglia Bianchi?

____

2. Cosa compra il signor Bianchi?

____

3. Va a Napoli con la sua famiglia?

____

4. Dove va?

____

5. Quante figlie ha questo signore, tre o solamente una?

____

Il signor Bianchi va a Milano.
Il suo treno è molto lungo.

Esercizio 43

Il contrario

Esempio: Questo treno non è *corto*.   *È lungo.*

1. La Fiat 126 non è *grande*. _______________
2. Questo film non è *buono*. _______________
3. Questa non è la scarpa *destra*. _______________
4. Il professore non è *seduto*. _______________
5. Non prende lezioni *l'insegnante*. _______________
6. Il signor Bianchi non *viene da* Milano. _______________
7. Pietro non *è mia sorella*. _______________
8. Il cane non è *sul* tavolo. _______________
9. I tassì non sono *dietro* la stazione. _______________
10. Pietro non porta vestiti da *donna*. _______________

Una sala di concerto

Esercizio 44

Cosa fa il signor Bianchi a Milano?

a) Lui va al concerto.
b) Prende il suo biglietto.
c) Entra nella sala di concerto.
d) Compra il programma.
e) Ascolta la musica.
f) Poi ritorna a casa.

1. Che cosa faccio io?

a) *Lei* ____________________

b) ____________________

c) ____________________

d) ____________________

e) ____________________

f) ____________________

2. E Lei, cosa fa?

a) *Io* ____________________

b) ____________________

c) ____________________

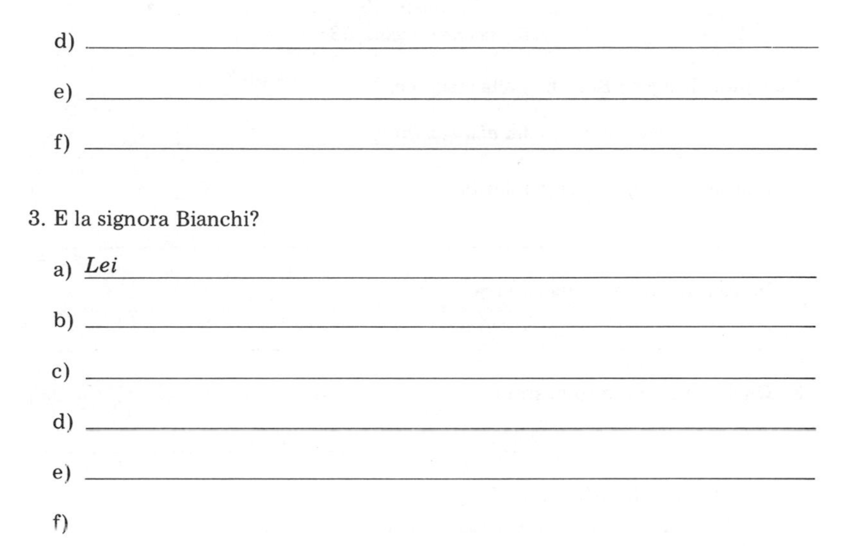

d) ______________________________

e) ______________________________

f) ______________________________

3. E la signora Bianchi?

a) *Lei* ______________________________

b) ______________________________

c) ______________________________

d) ______________________________

e) ______________________________

f)

—Buongiorno, signorina Neri. Sta a casa Paolo? . . . Grazie!

"essere" e "stare"

io	*sono*	*sto*
Lei **il signore** **la signora**	*è*	*sta*
Loro **essi** **esse**	*sono*	*stanno*

(Esercizio pagina 54)

Esercizio 45
(Specchio pagina 53)

Esempio: Il signor Bianchi è alla stazione.

Il signor Bianchi sta alla stazione. ______

1. La sua macchina è sul parcheggio.

______

2. Io non sono a casa mia alle tre.

______

3. Quei ragazzi sono sulla strada.

______

4. Io sono nel mio ufficio.

______

5. Dov'è Lei?

______

—Non ha il biglietto, signore?
—Sì, ce l'ho . . . ce l'ho . . . Ma . . . dov'è?

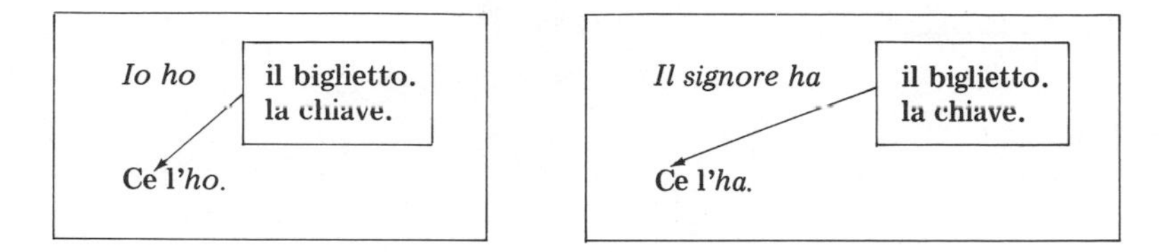

Esercizio 46

Esempio: Dove ha il biglietto questo signore? *(in tasca)*

Ce l'ha in tasca.

1. Dove ha Lei il Suo libro? *(in mano)*

   ____

2. Dove ho il mio denaro? *(nella borsetta)*

   ____

3. Dove ha la segretaria la sua penna? *(nella tasca della giacca)*

   ____

4. Dove ha Lei la Sua chiave? *(nella mano destra)*

   ____

5. Dove ha il signor Rossi il suo caffè? *(davanti a lui)*

   ____

—Per favore, signorina, metta il caffè sul tavolo!

(Esercizio pagina 56)

Esercizio 47

L'Imperativo
(Illustrazione pagina 55)

Esempio: Io non metto il caffè sul tavolo.

Metta il caffè sul tavolo, per favore!

1. Io non prendo la chiave.

___

2. Io non apro la porta.

___

3. Io non chiudo la finestra.

___

4. Io non vado alla stazione.

___

5. Io non vengo a casa Sua.

___

6. Io non entro nella stanza.

___

7. Io non ascolto questro nastro.

___

8. Io non ripeto.

___

9. Io non rispondo.

___

10. Io non conto le sigarette nel pacchetto.

___

Il signor Carducci e la signorina Neri sono a Roma, in Via Veneto.

—Buon giorno, signorina Neri. Come sta?
—Bene, grazie. Ma Lei, dove va?
—Vado a scuola.
—A scuola?
—Sì, alla scuola Berlitz. Prendo lezioni d'inglese.
—Ma perchè?
—Per andare in Inghilterra, signorina, a Londra.
—Oh! . . . Ma che cosa è quello, una radio?
—Questo? No, questo è un magnetofono.
—Perchè ha un magnetofono?
—Per i nastri signorina, per ascoltare i nastri d'inglese.

Esercizio 48

Perchè?

Esempio: Il signor Carducci prende lezioni d'inglese. Va in Inghilterra.

Il signor Carducci prende lezioni d'inglese per andare in Inghilterra.

1. Pietro prende un tassi. Va all'aeroporto.

____

2. Io vado al concerto. Ascolto la musica.

3. Paolo va alla tabaccheria. Compra un pacchetto di sigarette.

4. Io prendo l'autobus. Ritorno a casa.

5. Il signor Duval prende l'aereo. Va a Roma.

—Prende Lei denaro francese?
—Lei non ha lire italiane?
—No, ho soltanto questo biglietto da 100 franchi.
—Va bene, signore.
—Eccolo . . . grazie.

Esercizio 49

Risponda, per favore!

1. Porta un cappotto o soltanto una giacca il signor Duval?

2. Porta una giacca grigia o bianca?

3. Porta anche un cappello?

4. Che cosa ha in mano, un biglietto da 100 franchi o un biglietto da 100 lire?

5. Ha anche lire italiane?

CAPITOLO 7-RICAPITOLAZIONE

Che cosa è?
È . . .
—l'alfabeto
—una lettera
una vocale

—un articolo
—sulla musica
sulla politica
un calendario
un esercizio

—un metodo
un problema
un soprabito
un telegramma

—la televisione

—una cartolina illustrata
una chiesa
una frase
—una domanda
una risposta
una illustrazione
una lingua
una parola

Che cosa si fa . . . ?
—Si dice . . .
Si legge . . .
—Si parla . . .
Si scrive . . .

Che cosa fa il professore?
—Insegna l'italiano.

Che cosa fa l'allievo?
—Impara l'italiano.
Dice "Buongiorno" al professore.
Parla con il professore.
Capisce le domande.
Legge il suo libro.
Guarda le illustrazioni.
Scrive gli esercizi.

E ieri? Che cosa ha fatto?
. . . il professore?
—Ha insegnato l'italiano.

. . . l'allievo?
—Ha . . .
—imparato l'italiano
detto "Buongiorno" al professore
parlato con il professore
capito le domande
letto il suo libro
guardato le illustrazioni
scritto gli esercizi

	Oggi . . .	Ieri . . .	
Io	parlo	ho	parlato
Lei / Carlo	parla	ha	parlato

—ascoltare	ascoltato
domandare	domandato
telefonare	telefonato
chiudere	chiuso
mettere	messo
prendere	preso
rispondere	risposto
aprire	aperto
finire	finito

Che giorno è . . . ?

Oggi / Domani	è	lunedì / martedì / domenica, ecc.
Ieri	era	

Quando viene Lei?
Io vengo . . .
—*il* lunedì
il martedì
il mercoledì
il giovedì
il venerdì
il sabato
la domenica

Oggi è giovedì o venerdì?
—Oggi non è *nè* giovedì *nè* venerdì.

Quando è aperto l'ufficio?
È aperto . . .
—ora (adesso)
in questo momento
dalle nove alle cinque

—È chiuso la domenica.

NASTRO NUMERO 7

LEGGERE NON È UN PROBLEMA

—Non capisco, professore.
—No, Signora Carter?
—Ho preso 12 lezioni e non ho carta, non ci sono matite, nemmeno libri.
—No, Signora Carter!
—Imparo l'alfabeto, ma non scrivo.
—No, Signora Carter . . .
—Non capisco questo metodo. Questa non è una scuola. Ho fatto 12 lezioni, ma non ho un libro . . .
—No, Signora Carter, ma Lei ha nastri, ha un magnetofono, un microfono. Non ascolta? Non capisce Lei?
—Sì, ma . . .
—Non ripete le frasi?
—Sì, ma . . .
—Non capisce le domande?
—Sì, ma . . .
—Non risponde in italiano?
—Sì, ma, signor professore, non ho un libro. Non leggo frasi. Non faccio esercizi in italiano e in inglese.
—Come, signora! In inglese! In questa scuola! Ma Lei, qui, impara l'inglese o l'italiano?
—L'italiano, ma l'imparo senza libri. Non ho letto nemmeno una parola. Non ho scritto nemmeno una lettera dell'alfabeto.
—Ma, signora, Lei ascolta . . . e poi risponde . . . e parla in italiano . . . e in questo momento non legge l'italiano?
—Ma, professore . . .
—Non legge ora questa lezione e capisce?
—Professore!
—Signora, prenda questo libro e legga! Leggere non è un problema!

(Dal nastro numero 7)

Esercizio 50

Risponda!

1. Ha preso lezioni d'italiano la signora Carter?

   ____

2. Quante lezioni ha preso?

   ____

3. Ha parlato inglese o italiano in classe?

   ____

4. In che lingua il professore ha fatto le sue domande?

   ____

5. Ha risposto la signora Carter anche in italiano?

   ____

6. Ha scritto le parole italiane il professore?

   ____

7. Ha letto il libro in classe la signora?

   ____

8. Ha parlato inglese con il professore?

   ____

9. Ha imparato l'alfabeto?

   ____

10. Dove ha ascoltato i nastri, a scuola o a casa?

    ____

Esercizio 51

Qual è la domanda?

Esempio: *La signora Carter* impara l'italiano.

Chi impara l'italiano?

La signora Carter impara *l'italiano.*

Che cosa impara la signora Carter?

La signora Carter *impara l'italiano.*

Che cosa fa la signora Carter?

1. a) A Roma si parla *italiano.*

   ___

   b) *A Roma* si parla italiano.

   ___

2. a) La grossa macchina costa *10.000.000 di lire.*

   ___

   b) *La grossa* macchina costa 10.000.000 di lire.

   ___

   c) *La grossa macchina* costa 10.000.000 di lire.

   ___

3. a) Paolo ha preso *la macchina* per andare in città.

   ___

   b) *Paolo* ha preso la macchina per andare in città.

   ___

   c) Paolo ha preso la macchina *per andare in città.*

   ___

   d) Paolo *ha preso la macchina* per andare in città.

   ___

Esercizio 52

Esempio: Si parla francese o tedesco nella classe d'italiano? *(italiano)*

Nella classe d'italiano non si parla nè francese nè tedesco, ma italiano.

1. Impara Lei il francese o il tedesco a scuola? *(l'italiano)*

2. È a Parigi o a Londra il Colosseo? *(a Roma)*

3. Legge un giornale o una rivista Lei? *(un libro)*

4. Si parla tedesco o spagnolo a Londra? *(inglese)*

5. Si scrive o si legge a scuola? *(si parla)*

LA SEGRETARIA E LA LETTERA

(In ufficio. La segretaria è al telefono.)

Persone: *La segretaria*
Il signor Greco
Il direttore

La segretaria — Pronto. Chi parla?

Il signor Greco — Parla il signor Greco. C'è il direttore?

La segretaria — No, signor Greco. Il direttore non è in ufficio.

Il signor Greco — Grazie, signorina.

La segretaria — Greco . . . Greco . . . Oh Dio, quella lettera! Quella lettera per il signor Greco.

(La segretaria comincia a scrivere a macchina la lettera per il signor Greco. Il direttore entra.)

Il direttore — Signorina, la lettera per il signor Greco.

La segretaria — Ecco la lettera, signor direttore.

(Lui prende la lettera.)

Il direttore — Grazie, signorina.

(Il direttore legge la lettera.)

Il direttore — Ma, signorina, questa lettera non è corretta.

La segretaria — Come! Non è corretta?

Il direttore — No, signorina.

(La segretaria ricomincia a scrivere la lettera per il signor Greco.)

(Nastro numero 7)

Esercizio 53

Risponda!

1. Con chi parla la segretaria al telefono?

2. A chi scrive una lettera lei?

3. Chi prende la lettera, io o il direttore?

4. Dice "grazie!" alla segretaria?

5. Legge la lettera lui?

IMPARIAMO I VERBI!

io	*parlo*	*guardo*	*dico*	*scrivo*	*leggo*
Lei il signore la signora si	*parla*	*guarda*	*dice*	*scrive*	*legge*
Per favore . . . !	*Parli!*	*Guardi!*	*Dica!*	*Scriva!*	*Legga!*
Perchè? —Per . . .	*parlare*	*guardare*	*dire*	*scrivere*	*leggere*

(Esercizio pagina 66)

Esercizio 54
(Specchio pagina 65)

Esempio: Io leggo quest'articolo sulla politica.

Lei *legge quest'articolo.* ____________________

Per favore! *Legga quest'articolo!* ____________________

1. Luigi scrive una lettera al signor Bianchi.

   Io ____________________

   Lei ____________________

   Per favore! ____________________

2. Lei parla italiano con il direttore.

   Io ____________________

   L'allievo ____________________

   Per favore! ____________________

3. Io guardo questa cartolina illustrata.

   Lei ____________________

   Pietro ____________________

   Per favore! ____________________

4. La segretaria legge il telegramma.

   Io ____________________

   Lei ____________________

   Per favore! ____________________

5. Il direttore dice "Buongiorno!"

   Io ____________________

   Lei ____________________

   Per favore! ____________________

Il calendario

Ecco un calendario. Guardi! È lì, sulla parete. Oggi è lunedì; ieri era domenica, domani sarà martedì.

Oggi è *Domani sarà* *Ieri era*	*domenica* *lunedì* *martedì* *mercoledì* *giovedì* *venerdì* *sabato*

Oggi sono a scuola, in classe. Ieri non *ero* in classe . . . ero a casa mia ieri. E Lei, *era* a scuola ieri? O era a casa anche Lei?

E Pietro, dov'*era* ieri? A casa o a scuola?

Ieri il direttore non era in ufficio.

Oggi . . . Ieri . . .

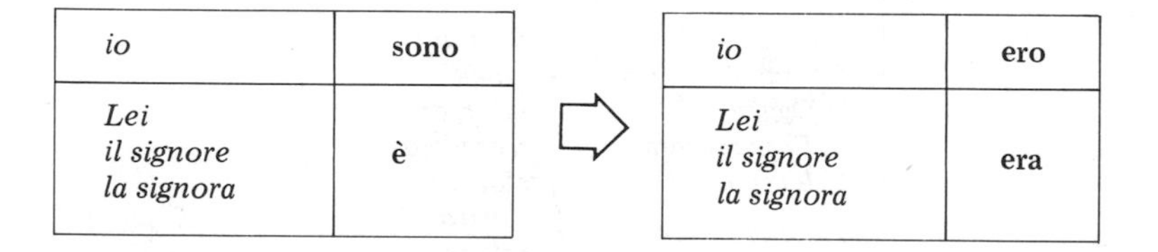

io	**sono**
Lei *il signore* *la signora*	**è**

⇨

io	**ero**
Lei *il signore* *la signora*	**era**

Esercizio 55

Metta al passato!

Esempio: Oggi io sono al teatro. *Ieri io ero al teatro.*

1. Oggi la segretaria è in ufficio. ____________________
2. Oggi io sono a Roma. ____________________
3. Oggi Giovanna è a scuola. ____________________
4. Oggi io sono al concerto. ____________________
5. Oggi Pietro è al cinema. ____________________

La segretaria *telefona.*

La segretaria *ha telefonato.*

Oggi . . .

Ieri . . .

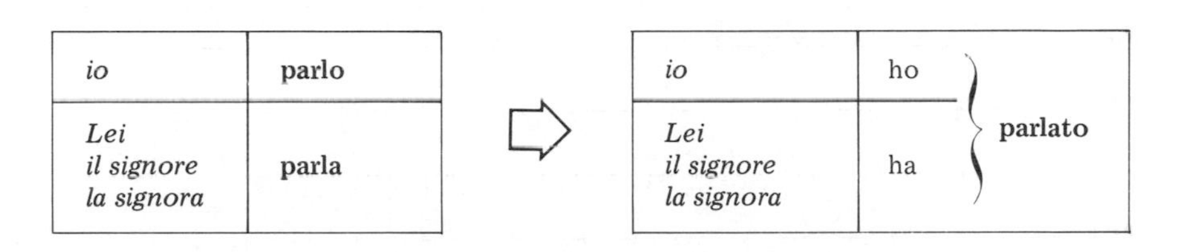

io	**parlo**
Lei *il signore* *la signora*	**parla**

⇨

io	ho	**parlato**
Lei *il signore* *la signora*	ha	

Infinito *(per . . .)*	Participio *(io ho . . .)*
ascoltare	ascoltato
domandare	domandato
imparare	imparato
parlare	parlato
telefonare	telefonato

---

dare	dato
fare	fatto
scrivere	scritto

Infinito *(per . . .)*	Participio *(io ho . . .)*
leggere	letto
chiudere	chiuso
mettere	messo
prendere	preso
capire	capito
finire	finito
aprire	aperto
rispondere	risposto
avere	avuto

Esercizio 56

Che cosa fa oggi la segretaria?

a) Lei prende l'autobus per andare all'ufficio.
b) La porta dell'ufficio è chiusa.
c) Il direttore non c'è.
d) La segretaria apre la porta con la sua chiave.
e) Dietro la porta c'è un telegramma.
f) Lei prende il telegramma e lo legge.
g) Poi telefona al direttore.
h) Infine scrive una risposta al telegramma.

1. E ieri? Che cosa ha fatto la segretaria ieri?

a) *Ieri la segretaria ha preso* ______________________

b) ______________________

c) ______________________

d) ______________________

e) ______________________

f) ______________________

g) ______________________

h) ______________________

2. Lei è la segretaria! Che cosa ha fatto Lei ieri?

a) *Ieri io ho preso l'autobus* ______________________

b) ______________________

c) ______________________

d) ______________________

e) ______________________

f) ______________________

g) ______________________

h) ______________________

Esercizio 57

Che cosa fa il direttore oggi?

Il direttore è a casa oggi. La sua segretaria è all'ufficio. Lei telefona alla casa del direttore: c'è un telegramma urgente in ufficio. Allora il direttore prende un tassì.

All'ufficio lui apre la porta e dice: "Buongiorno!" alla segretaria. Prende il telegramma, lo apre, e lo legge.

Poi scrive le risposte. (Risponde in italiano.)

Alle cinque mette il suo soprabito. Dice "ArrivederLa" alla segretaria e prende l'autobus per ritornare a casa.

1. Che cosa *ha fatto ieri* il direttore?

   Ieri il direttore era a casa.

2. Io sono il direttore! Che cosa ho fatto *io* ieri?

   Ieri Lei

—Ecco, ho finito la lettera!

Esercizio 58

Metta al passato!

Esempio: La segretaria finisce la lettera.

La segretaria ha finito la lettera.

1. Pietro impara l'inglese.

____

2. Io prendo la macchina per andare in città.

____

3. Lei non capisce questa frase.

____

4. La segretaria scrive una lettera al signor Rossi.

____

5. L'allievo ascolta il nastro a casa.

____

6. Io metto il mio soprabito per andare nella strada.

____

7. Lei apre il pacchetto per prendere una sigaretta.

____

8. Il direttore legge un articolo sull'economia.

____

9. Angelina parla al telefono con suo padre.

____

10. L'allievo risponde al suo professore.

____

—Ha scritto la lettera al signor Rossi, signorina?
—Ma sì, signor direttore. L'ho scritta ieri!

(Esercizio pagina 74)

Esercizio 59

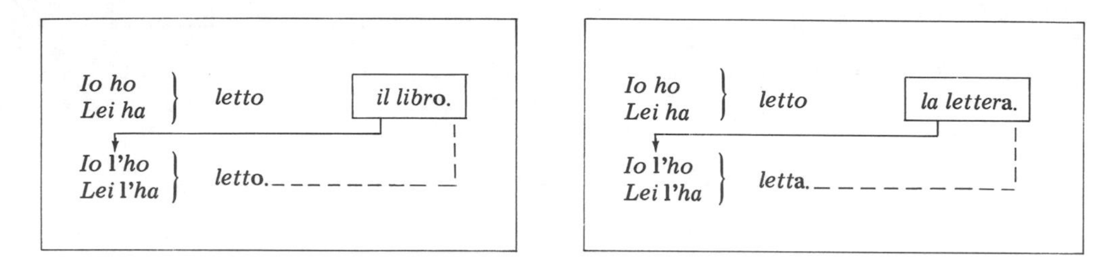

Esempio: Ha scritto la lettera la segretaria?

Sì, l'ha scritta.

1. Ha preso questa lettera il direttore?

   ____

2. Ha ascoltato Lei il nastro numero uno?

   ____

3. Ha capito Lei la domanda numero due del professore?

   ____

4. Ha fatto Lei l'esercizio numero 10?

   ____

5. Ha scritto la risposta alla domanda numero 4?

   ____

Questo signore va a Roma. Ci va coll'aereo.

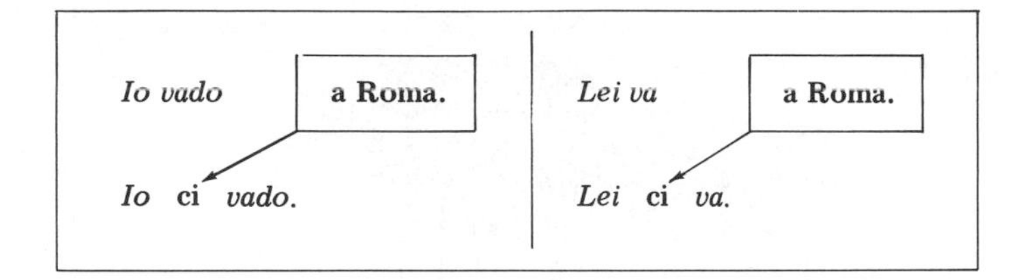

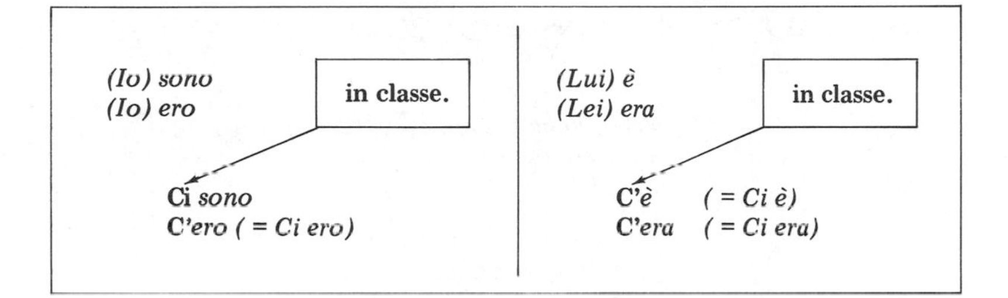

Esercizio 60

Esempio: Come va a Roma il signor Bianchi? *(macchina)*

Ci va con la macchina.

1. Quando va a scuola Lei? *(alle cinque)*

   ____

2. Con chi era a Londra il signor Bertini? *(sua moglie)*

   ____

3. Quando era a scuola Lei? *(ieri)*

   ____

4. Come va a Londra la signorina Neri? *(aereo)*

   ____

5. Con chi è Lei in classe oggi? *(con il mio professore)*

   ____

—Ecco, Renata, per Lei!
— . . . , Giovanni!

Esercizio 61

Quando io dico . . .		. . . come risponde Lei?
1. "Buongiorno!"	______	a. "A domani!"
2. "Come sta?"	______	b. "Prego!"
3. "ArriverderLa!"	______	c. "Pronto!"
4. "Grazie!"	______	d. "Buongiorno!"
5. "Pronto!" (al telefono)	______	e. "Bene, grazie. E Lei?"

Esercizio 62

Esempio: Lui è un ragazzo. *Lei è una ragazza.*

1. Lui è un padre. ____________________
2. Lui è un figlio. ____________________
3. Lui è un uomo. ____________________
4. Lui è un fratello. ____________________
5. Lui è un marito. ____________________

CAPITOLO 8-RICAPITOLAZIONE

Che cosa è?
È . . .
—il lavoro
il totale
l'indirizzo

—un anno
un appartamento
un assegno
un edificio
un mese
un palazzo

—un piano
il pianterreno
il primo piano
il secondo piano
l'ultimo piano

—una fabbrica
una settimana

Nel ristorante:
Ci sono . . .
—*dei* tavoli
delle sedie
degli impiegati

Si beve . . .
—*del* caffè
della birra

Si mette *dello* zucchero.

Dov'è . . . ?
È . . .
—sul tavolo / sui tavoli
sulla sedia / sulle sedie

—nel libro / nei libri
nella tazza / nelle tazze
nell'aereo / negli aerei

È . . .
—vicino (*a* . . .)
lontano (*da* . . .)
all'angolo

In quale mese siamo?
Siamo in . . .
—gennaio
febbraio
marzo
aprile

—maggio
giugno
luglio
agosto

—settembre
ottobre
novembre
dicembre

Quando viene?
Vengo . . .
—*il* primo maggio
il due, tre, *ecc.*

Vengo . . .
—prima di mangiare
dopo aver mangiato

—Prima vado all'ufficio.
Dopo vado a scuola.
Infine vado a casa.

Verbi:
—abitare
cominciare
depositare
dettare

—lavorare
pagare
finire

Com'è quest'edificio?
È alto / basso.

Quale . . . è?
È . . .
—il primo
il secondo
il terzo
il quarto
l'ultimo

—la prima
la seconda
la terza
la quarta
l'ultima

Di chi è/sono . . . ?
È . . .
—il {mio / Suo / suo} libro

Sono . . .
i {miei / Suoi / suoi} libri

—la {mia / Sua / sua} penna

le {mie / Sue / sue} penne

Quanto denaro ha Lei?
Ho . . .
—molto / poco denaro
—più / meno denaro di Lei
—*tanto* denaro *quanto* Lei

NASTRO NUMERO 8

DOVE LAVORA ORA?

Persone: *Filippo*
La signorina Nanda

(Nella strada. Davanti alla casa della signorina.)

Filippo — Buongiorno, Nanda.

Signorina Nanda — Buongiorno, Filippo.

Filippo — Dove va?

Signorina Nanda — Vado al lavoro.

Filippo — Dove lavora ora?

Signorina Nanda — Lavoro in un calzaturificio.*

Filippo — Oh, in una fabbrica! È qui vicina questa fabbrica?

Signorina Nanda — Sì, è vicina, proprio vicina a casa mia.

Filippo — Allora, non prende l'autobus?

Signorina Nanda — No, vado a piedi.

Filippo — Oh, a piedi! Io vado in macchina. Ha molti impiegati la fabbrica?

Signorina Nanda — Sì, siamo cinquanta impiegati nella fabbrica.

Filippo — *Noi* siamo solamente dieci nel nostro ufficio. Quante ore lavora, Nanda?

Signorina Nanda — Dieci ore, Filippo.

Filippo — *Noi* lavoriamo solamente otto ore nel nostro ufficio. A che ora si comincia a lavorare nella Sua fabbrica?

Signorina Nanda — Si comincia alle otto.

Filippo — *Noi* cominciamo alle nove. Beh! Buongiorno, Nanda.

Signorina Nanda — Buongiorno, Filippo.

*calzaturificio = fabbrica di scarpe

(Nastro numero 8)

Esercizio 63

Risponda, per piacere!

1. Dove lavora Nanda?

___

2. Che cosa è "un calzaturificio"?

___

3. È lontana dalla casa di Nanda questa fabbrica?

___

4. Come va Nanda al lavoro, a piedi o in macchina?

___

5. Quante ore lavora lei?

___

6. Lavora Filippo tanto quanto Nanda?

___

7. Lavora Nanda più di Filippo o meno di lui?

___

8. E Filippo lavora più o meno di Nanda?

___

9. Ha l'ufficio di Filippo tanti impiegati quanti la fabbrica di Nanda?

___

10. Ha la fabbrica più o meno impiegati dell'ufficio?

___

Esercizio 64

"Essere" e "avere"

io	sono	*io*	ho
Lei *lui* *lei*	è	*Lei* *lui* *lei*	ha
noi	siamo	*noi*	abbiamo
Loro *loro* *loro*	sono	*Loro* *loro* *loro*	hanno

Esempio: Quest'edificio ___*è*___ molto grande; ___*ha*___ sei ascensori.

1. Io ________ professore e ________ molti allievi.
2. Il Sig. Rossi ________ il direttore di una fabbrica di guanti e ________ un grande ufficio.
3. La segretaria ________ un piccolo ufficio ed ________ seduta davanti alla porta del direttore.
4. Noi ________ gli impiegati di questa fabbrica e ________ molto lavoro.
5. Quest'ufficio ________ piccolo e ________ pochi impiegati.
6. Le fabbriche di macchine ________ grandi e ________ molti operai.
7. Il direttore ________ nel suo ufficio e ________ molto lavoro.
8. Gina ________ una bella ragazza e ________ molti amici.
9. Gli allievi ________ una lezione e ________ in classe.
10. Loro ________ la chiave dell'ascensore, ma non ________ qui.

OTTOBRE						
LUN	MAR	MER	GIO	VEN	SAB	DOM
1	2	3	4	5	6	7
8	9	10	11	12	13	14
15	16	17	18	19	20	21
22	23	24	25	26	27	28
29	30	31				

Che giorno è?

Oggi è lunedì. Il direttore è in ufficio. La settimana comincia oggi, e il lavoro del direttore ricomincia. Ieri era domenica e lui non era in ufficio. Nemmeno io ero in ufficio ieri. L'ufficio era chiuso; non abbiamo lavorato ieri.

Oggi è il 2 ottobre, domani è il tre ottobre e ieri era il primo del mese. Quale giorno della settimana è domani?

Esercizio 65

Risponda, per favore!

1. In quale mese siamo? ________________
2. Quale mese viene prima di ottobre? ________________
3. Quale mese viene dopo ottobre? ________________
4. Qual è l'ultimo mese dell'anno? ________________
5. Qual è l'ultimo giorno della settimana? ________________
6. Quanti giorni ci sono in una settimana? ________________
7. Quanti giorni ci sono in ottobre? ________________
8. Quale giorno della settimana è oggi? ________________
9. È il 29 febbraio oggi? ________________
10. Quanti ne abbiamo oggi? ________________

La segretaria fa il suo lavoro.

	io	lei	lui/lei	noi	Loro	loro	
il	*mio*	*Suo*	*suo*	*nostro*	*Loro*	*loro*	libro
i	*miei*	*Suoi*	*suoi*	*nostri*	*Loro*	*loro*	libri
la	*mia*	*Sua*	*sua*	*nostra*	*Loro*	*loro*	rivista
le	*mie*	*Sue*	*sue*	*nostre*	*Loro*	*loro*	riviste

Esercizio 66

LEI FA IL SUO LAVORO

Esempio: Io faccio il mio lavoro.

Paolo *fa il suo lavoro.*

Lei *fa il Suo lavoro.*

1. Carlo va in banca con i suoi assegni.

   Le segretarie ______

   Noi ______

2. Io conto le mie cravatte.

   Carlo ______

   Noi ______

3. Lei parla con i Suoi fratelli.

   Noi ______

   Io ______

4. Le ragazze scrivono le loro lettere.

   Io ______

   Pietro ______

5. Noi abitiamo con i nostri genitori.

   Maria ______

   Io ______

Esercizio 67

IMPARIAMO I VERBI!

Completi questa tabella:

Per . . .	io	Lei	noi	Loro	Per favore . . .
ascolt*are*	ascolto	ascolt*a*	ascoltiamo	ascolt*ano*	Ascolti!
________	________	porta	________	________	________
________	________	________	________	lavorano	________
________	________	ritorna	________	________	________
mett*ere*	metto	mett*e*	mettiamo	mett*ono*	Metta!
________	________	scrive	________	________	________
rispondere	________	________	________	________	________
aprire	________	apre	________	________	________
capire	capisco	________	________	________	________
andare	________	________	andiamo	vanno	________
venire	________	________	veniamo	________	________
dire	________	dice	________	________	________
stare	sto	sta	________	________	Stia!
fare	________	________	________	________	Faccia!
essere	________	è	________	________	Sia!
avere	ho	________	________	________	Abbia!

CAPITOLO 9-RICAPITOLAZIONE

Che cosa è?
È . . .
—un dizionario
un errore
un pacco

—una ditta

—il prezzo
lo stipendio

Sono le notizie.
le notizie politiche
le ultime notizie
buone / cattive notizie

Chi è . . . ?
È . . .
—un amico
un'amica
un collega
un operaio

—il barbiere
il lattaio
il postino

Verbi:
—aspettare (aspettato)
dare (dato)
domandare (domandato)
guadagnare (guadagnato)
mandare (mandato)
risparmiare (risparmiato)

—ricevere (ricevuto)
sapere (saputo)
spendere (speso)

Che cosa mi dice?
Le dico . . .
—il mio { nome / cognome / numero di telefono }

—*che* leggo il giornale
quello che leggo

—*che* faccio l'esercicio
quello che faccio, *ecc.*

—*se* lavoro (o no)
se vado a Roma, *ecc.*

A chi parla lui?
A me? / A Lei? / A lui? / A lei? / Ad essi? / A noi? — Sì, [*mi* / *Le* / *gli* / *le* / *loro* / *ci*] parla.

Qual è la marca della Sua macchina?
È . . .
—una Ferrari
una Fiat

—una Maserati
un'Alfa Romeo

Com'è . . . ?
È . . .
—nuovo/a

—vecchio/a

Ha qualcosa (in mano)?
Sì, ho qualcosa (qualche cosa).
No, non ho niente (non ho nulla).

C'è qualcuno nell'ufficio?
Sì, c'è qualcuno.
No, non c'è nessuno.

Quanto . . . ?
—un chilo (due chili) / un etto (due etti) — di burro

—un litro (due litri) di latte

—tutto / una parte di . . .

È la stessa cosa!
—lo stesso . . .
la stessa . . .
un altro . . .
un'altra . . .

—gli stessi . . .
le stesse . . .
degli altri . . .
delle altre . . .

Quando va Lei a . . . ?
Ci vado . . .
—una volta al mese
due volte
—subito

NASTRO NUMERO 9

LA SIGNORA BIANCHI VA A COMPRARE DEL BURRO

Persone: *La signora Bianchi, moglie dell'ingegner Bianchi*
Il lattaio

(In latteria.)

Il lattaio — Buongiorno, signora Bianchi.

Signora Bianchi — Buongiorno.

Il lattaio — Cosa Le do oggi, signora?

Signora Bianchi — Mi dia un etto di burro, per favore.

Il lattaio — Ecco, signora, un etto di burro. Le do altro, signora?

Signorá Bianchi — Sì, un litro di latte, e mi faccia un pacco, per favore.

Il lattaio — Sì, signora Bianchi. E lo mando a casa Sua?

Signora Bianchi — Sì, lo mandi alle sei.

Il lattaio — Va bene, signora.

Signora Bianchi — Lei sa dove abito io?

Il lattaio — Sì, signora, in via Garibaldi.

Signora Bianchi — Grazie mille.

Il lattaio — Grazie a Lei, signora, e arrivederLa.

(Nastro numero 9)

Esercizio 68

La signora dà il denaro	**al lattaio.**
Gli *dà il denaro.*	

Il lattaio dà il burro	**alla signorina.**
Le *dà il burro.*	

Risponda, per favore!

Esempio: La signora Bianchi parla *al lattaio?*

Sì, gli parla.

1. Il lattaio dice "Buongiorno" *alla signora?*

___

2. Che cosa risponde *al lattaio* la signora?

___

3. Il lattaio dà un etto di zucchero *alla signora*?

___

4. Che cosa dà lui *alla signora*?

___

5. La signora dà la mano *al lattaio*?

___

6. Lei dà del denaro *a lui*?

___

7. Il lattaio dà il pacco *alla signora?*

___

8. Manda il pacco *alla signora*?

___

9. A che ora manda il pacco *alla signora*?

____

10. Che cosa dice la signora *al lattaio*?

____

L'ITALIA NON È L'AMERICA

Persone: *Il signor Bianchi che abita a Torino*
Mr. White che abita a Detroit

Il signor Bianchi è ingegnere. Abita a Torino, in Italia, e lavora per una grande ditta d'automobili, la FIAT (*F*abbrica *I*taliana di *A*utomobili, *T*orino). Egli lavora molte ore e riceve un buon stipendio per il suo lavoro.

Mr. White è anche lui ingegnere. Abita a Detroit, in America, e lavora per una grande fabbrica d'auto in quella città. Egli lavora meno ore dell'ingegner Bianchi, il suo collega di Torino, ma guadagna più di lui. Ecco: Bianchi non è White—e l'Italia non è l'America.

(Nastro numero 9)

Risponda, per favore!

1. È direttore di una ditta il signor Bianchi?
2. Per quale ditta lavora?
3. È una grande fabbrica di macchine da scrivere la FIAT?
4. Lavorano poco i due ingegneri?
5. Chi guadagna di più, il signor Bianchi o Mr. White?

Mr. White, a Detroit, ha uno stipendio molto alto e dà a sua moglie tutto quello che guadagna. Sì, sì, lo fa. Il signor Bianchi, a Torino, guadagna molto meno, ma non dà tutto il suo stipendio a sua moglie. Lui, no! Ecco: Bianchi non è White, e l'Italia non è l'America.

(Nastro numero 9)

Risponda, per favore!

6. Il signor White spende personalmente il suo stipendio?
7. A chi lo dà?
8. Le dà tutto il suo stipendio?
9. E il signor Bianchi fa lo stesso?
10. Ci sono altre differenze fra l'Italia e l'America?

Paolo: —*C'è qualche cosa per me?*
Postino: —*Mi dispiace, signor Neri, non c'è niente per Lei. C'è qualcuno a casa dei Bianchi?*
Paolo: —*No, non c'è nessuno.*

Esercizio 69

Risponda, per favore!

1. C'è qualcuno alla porta?

____

2. C'è qualcuno dietro Paolo?

____

3. Porta qualche cosa il postino?

____

4. Porta qualche cosa per Paolo?

____

5. C'è qualche cosa per i Bianchi?

____

Esercizio 70

UN BIGLIETTO DA VISITA

Dott. Ing. Carlo Galassi

Via Dante 48
NAPOLI

Risponda a queste domande:

1. Qual è il cognome di questo signore?

____

2. Qual è il suo nome?

____

3. È un artista il signor Galassi?

____

4. Qual è la sua professione?

____

5. In quale città abita?

____

6. Qual è il numero della sua casa?

____

7. Abita in Via Garibaldi lui?

____

8. In quale via abita?

____

9. Qual è il suo indirizzo?

____

10. Qual è il Suo indirizzo?

____

CAPITOLO 10-RICAPITOLAZIONE

Che cosa è?
È . . .
—un braccio
un posto
libero
occupato

—l'arrivo
l'ascensore
il resto
del denaro
del vino

—la fermata
del tram
dell'autobus
la mattina
la partenza

Sono *dei* francobolli.

Verbi Riflessivi:
—Come *si* chiama Lei? *(chiamarsi)*
—A che ora *si* alza Lei? *(alzarsi)*
—Dove *si* ferma l'autobus? *(fermarsi)*

Che cosa ha fatto Lei?
Ho . . .
—chiamato (un tassì)
alzato (la mano)

Sono . . .
—andato (andare)
arrivato (arrivare)
entrato (entrare)
partito (partire)
rimasto (rimanere)
salito (salire)
sceso (scendere)
stato (essere)
tornato (tornare)
uscito (uscire)

Quando viene Lei?
Vengo . . .
—stamattina
stasera

Esce Lei dall'aula?
Si, *ne* esco.

Va Lei all'aeroporto?
Sì, *ci* vado.

Prende Lei . . . ?
. . . il treno?
. . . la macchina?
. . . i libri?
. . . le riviste?

Sì, *lo* / *la* / *li* / *le* prendo.

Esercizio 71

io	Lei	io ho . . . / Lei ha . . . , *ecc.*
aspetto	*aspetta*	. . . *aspettato*
compro	*compra*	. . . *comprato*
do	*dà*	. . . *dato*
domando	*domanda*	. . . *domandato*
guadagno	*guadagna*	. . . *guadagnato*
mando	*manda*	. . . *mandato*
risparmio	*risparmia*	. . . *risparmiato*
ricevo	*riceve*	. . . *ricevuto*
so	*sa*	. . . *saputo*
spendo	*spende*	. . . speso

Metta queste frasi al passato:

Esempio: Io aspetto il postino nel mio ufficio.

Ho aspettato il postino nel mio ufficio.

1. Io ricevo una lettera per posta aerea.

   ____

2. Lei compra una macchina nuova

   ____

3. Noi risparmiamo una parte del nostro stipendio.

   ____

4. Il direttore manda la sua segretaria alla banca.

   ____

5. Io compro due bottiglie di vino.

   ____

6. Noi diamo la mano al professore prima di andar via.

   ____

7. La signorina spende molto denaro per comprare i vestiti.

   ____

8. Gli impiegati guadagnano 800.000 lire al mese.

   ____

9. I nostri amici ci aspettano all'aeroporto.

____

10. Noi domandiamo al professore.

____

Esercizio 72

L'INSEGNANTE GUARDA GLI ALLIEVI

l'articolo l'allievo	gli articoli gli allievi

Metta al plurale queste parole:

L'edificio gli edifici

1. lo spagnolo_______________
2. l'italiano_______________
3. l'italiana_______________
4. l'americano_______________
5. lo stesso libro_______________
6. la stessa rivista_______________
7. l'operaio_______________
8. l'operaio italiano_______________

Esercizio 73

IMPARIAMO QUESTI VERBI!

Completi questa tabella:

Per . . .	*io*	*Lei*	*noi*	*Loro*	*Per favore . . .*	*Ieri io sono . . .*
andare	vado	_______	_______	_______	_______ !	_______
venire	_______	_______	_______	_______	_______ !	venuto
entrare	_______	_______	_______	_______	_______ !	_______
uscire	esco	esce	usciamo	escono	Esca!	_______
arrivare	_______	_______	_______	_______	_______ !	_______
partire	_______	_______	_______	_______	_______ !	_______
salire	_______	_______	_______	salgono	Salga!	_______
scendere	scendo	_______	_______	_______	Scenda!	_______
rimanere	rimango	rimane	rimaniamo	_______	Rimanga!	_______
essere	_______	_______	_______	_______	Sia!	stato
tornare	_______	_______	_______	_______	_______	_______

Attenzione!

Il signore è venuto.
La signora è venuta.

I due signori sono venuti.
Le due signore sono venute.

(Esercizio pagina 94)

Esercizio 74

Per favore, metta queste frasi al passato:
(Specchio pagina 93)

Esempio: Oggi Paolo viene a scuola alle due.

Ieri è venuto a scuola alle due.

1. Oggi il signor Bianchi va all'ufficio in macchina.

____

2. Lui arriva all'ufficio alle 9.

____

3. Alle 12 sua moglie entra nell'ufficio.

____

4. Loro escono insieme per andare al ristorante.

____

5. Rimangono due ore al ristorante.

____

6. Il ristorante è molto buono.

____

7. Poi il signor Bianchi torna all'ufficio.

____

8. Alle cinque il signor Bianchi parte per andare a casa.

____

9. Lui scende dal terzo piano con l'ascensore.

____

10. Sale sull'autobus e va a casa.

____

Esercizio 75

"COME SI CHIAMA?"

Io **mi chiamo**	*noi* **ci chiamiamo**
Lei / *lui* / *lei* } **si chiama**	*Loro* / *essi* / *esse* } **si chiamano**

Esempio: Il nome di questo signore è "Neri".

Questo signore si chiama "Neri".

1. Il mio nome è "Giovanni".

___

2. Qual è il suo nome, signore?

___

3. I nomi di questi ragazzi sono "Paolo" e "Luigi".

___

4. Qual è il nome di questa città?

___

5. Il nostro nome non è "Bianchi".

___

Esercizio 76

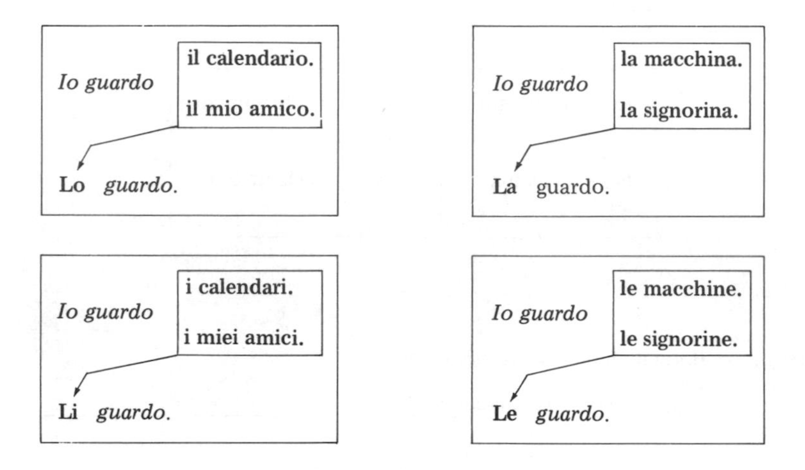

Risponda con *lo*, *la*, *li*, o *le*.

Esempio: Guardiamo la macchina nuova di Pietro?

Sì, la guardiamo.

1. Chiama per telefono i Suoi amici Lei?

____

2. Legge le lettere il direttore?

____

3. Conta Lei il Suo denaro?

____

4. Scrivono le risposte le segretarie?

____

5. Gli allievi leggono i loro libri?

____

Esercizio 77

VERBI (-ERE, -IRE) AL PRESENTE

scrivere	io . . . scrivo	Lei (lei) . . . scrive	noi . . . scriviamo	Loro (loro) . . . scrivono	Per favore . . . scriva

scrivere	mettere	chiudere	aprire
leggere	prendere	scendere	partire
rispondere	spendere	ricevere	

Metta queste frasi al plurale:

Scrivo una lettera *Scriviamo lettere.*

1. Lei scrive l'articolo. ____________________

2. Lui non scrive l'articolo. ____________________

3. Leggo il libro di Moravia. ____________________

4. L'allievo legge lo stesso libro. ____________________

5. Metto la cassetta in tasca. ____________________

6. L'americano spende molto. ____________________

7. Apro l'appartamento con la chiave. ____________________

8. Lei non apre l'ufficio. ____________________

IN UFFICIO ALLA FIAT

Persone: *Il signor Bianchi, ingegnere*
Il suo direttore

Ora: *Le dieci della mattina*

Il direttore — Buongiorno, ingegnere.

Signor Bianchi — Buongiorno, signor direttore.

Il direttore — Non sta bene?

Signor Bianchi — Io? Sì. Perchè? Sto molto bene.

Il direttore — Ma sono le dieci . . . ! E Lei sa che qui cominciamo alle nove.

Signor Bianchi — Ho preso un taxi per venire.

Il direttore — Non è venuto in macchina questa mattina?

Signor Bianchi — No. Mia moglie . . . non capisco . . . mia moglie è uscita con la macchina stamattina. Non capisco . . . non so. . . .

Il direttore — E va bene. Ma Lei è arrivato alle dieci.

Signor Bianchi — Signor direttore, prima sono andato alla fermata dell'autobus. Ho aspettato quindici minuti e. . . .

Il direttore — Lei ha aspettato quindici minuti e l'autobus non è venuto, non è vero?

Signor Bianchi — Esatto. Allora ho preso un taxi.

Il direttore — Signor Bianchi, comincia o non comincia a lavorare, ora?

Risponda per favore:

1. Lavora a Roma il signor Bianchi?
2. In che città lavora?
3. È direttore o ingegnere?
4. Si comincia a lavorare alle dieci nell'ufficio del signor Bianchi?
5. Il signor Bianchi è arrivato alle nove?
6. È arrivato in ritardo?
7. È venuto con la sua macchina?
8. Chi è uscito con la macchina del signor Bianchi?
9. Quanti minuti ha aspettato alla fermata?
10. Alla fine ha preso un taxi o l'autobus?

Esercizio 78

IL SIGNOR BIANCHI LAVORA A TORINO

Legga e poi scriva:

Il signor Bianchi lavora a Torino. È ingegnere alla FIAT. Comincia a lavorare alle nove. Ma questa mattina non è arrivato alle nove in ufficio. È arrivato alle dieci. È arrivato in ritardo. Sua moglie è uscita con la macchina.

La signora non ha detto niente a suo marito. L'ingegnere non sa dov'è sua moglie e non sa nemmeno dov'è la sua macchina. È andato alla fermata dell'autobus, ha aspettato quindici minuti, e infine ha preso un taxi. In ufficio, poi, il suo direttore gli ha parlato.

____

____

____

____

____

____

____

____

CAPITOLO 11-RICAPITOLAZIONE

Che cosa è?
È . . .
—il centro (della città)
il Consolato Italiano

—la maternità
(il nome della madre)
la paternità
(il nome del padre)

Chi è . . . ?
È . . .

—il console	—*mio* padre
il direttore	*il mio* amico
il personale	
	—*mia* madre
—la gente	*la mia* amica

Da chi va Lei?
Vado . . .
—dal signor Bianchi
dall'insegnante
dallo studente
dalla signora Rossi

—viene da me / noi
Lei / Loro
lui / loro
lei / loro

Di chi è . . . ?
È mio! / mia!
Suo / Sua
suo / sua
nostro / nostra
loro

Com'è?
È . . .
—più / meno lungo *di* . . .

—tanto	lungo	*quanto* . . .
così		*come* . . .

Verbi:
—guidare (guidato)
studiare (studiato)

NASTRO NUMERO 11

IL SIGNOR PIERI VA A MILANO

ORARIO		
Roma	p: 14.00	p: 16.00
Orvieto	a: 15.00	a: 17.00
	p: 15.05	p: 17.10
Firenze	a: 18.10	a: 20.20
	p: 18.20	p: 20.25
Bologna	a: 19.15	a: 21.15
	p: 19.25	p: 21.20
Modena	a: 20.30	a: 22.30
	p: 20.40	p: 22.35
Parma	a: 21.35	a: 23.30
	p: 22.05	p: 23.40
Milano	a: 23.35	a: 1.20
a: arrivo p: partenza		

Persone: *Pieri (un anziano* signore)*
Una signorina
Un impiegato

(Alla stazione di Roma-Termini.)

Signorina — Signor Pieri! Signor Pieri! C'è il signor Pieri?

Impiegato — Chi? Il signor Alfieri?

Signorina — No, il signor Pieri.

Impiegato — Chi?

Signorina — Pieri. Il signor Pie-ri.

Impiegato — Ma signorina, chi è questo signor Pieri?

Signorina — È un piccolo signore. Un piccolo signore con un grosso** cane.

*anziano = vecchio
**grosso = grande

Impiegato — No. Non c'è. Non c'è il signor Pieri e non c'è nemmeno il cane. . . .

Signorina — Ah, il signor Pieri non ha nemmeno una lira in tasca. . . . Il signor Pieri va a Milano e non ha una lira in tasca. . . . Sono le due. Sono le due. (Un treno parte dalla stazione.) E questo è il treno per Milano. . . .

(Arriva un piccolo signore con un grosso cane.)

Signorina — Il signor Pieri?

Pieri — Buongiorno, signorina.

Signorina — Ho le 20.000 lire per il Suo biglietto.

Pieri — Sì, signorina. Ma . . . il treno . . . questo treno. . . .

Signorina — Va a Milano senza di Lei.

Pieri — Sì, lo so. Il treno non mi ha aspettato.

Signorina — Ma io, sì. Io l'ho aspettato, signor Pieri. Io non sono partita. Non sono andata via. Ho portato il denaro.

Pieri — C'è un altro treno oggi?

Signorina — Guardiamo sull'orario.

(La signorina e il signor Pieri guardano l'orario; c'è un altro treno; parte alle 16. Poi la signorina va a fare il biglietto.)

Signorina — Ecco il biglietto. Seconda classe. Prenda il biglietto, signor Pieri. Lo metta in tasca!

Pieri — In tasca! In questa tasca? In quest'altra tasca? Ma no, signorina. Adesso, no. Lo prendo dopo; sì, dopo.

Signorina — Le ho portato anche il giornale. E la signora Le manda questo libro.

Pieri — Bene, bene. Grazie mille.

(L'altoparlante della stazione: "È in partenza il treno delle ore sedici per Firenze-Bologna-Milano. . . . ")

Signorina — Ecco il Suo treno.

Pieri — Qui c'è posto, signorina. Grazie, signorina.

Signorina — Arrivederla, signor Pieri.

Pieri — Arrivederla, signorina. Grazie per il giornale. Grazie per il libro. Grazie. . . .

(Il treno parte.)

Signorina — Signor Pieri! Signor Pieri! Oh Dio, non ha preso il suo biglietto. E non ha una lira in tasca! ! !

(Nastro numero 11)

Risponda, per favore!

1. Come si chiama quella grande stazione di Roma?
2. È alla stazione di Roma-Termini il signor Pieri?
3. Dove va il signor Pieri?
4. Ci va con il suo cane?
5. A che ora parte il treno per Milano?
6. Ha molto denaro in tasca il signor Pieri?
7. Chi è venuto con il denaro?
8. Gli porta qualche altra cosa?
9. La signorina va anche a Milano?
10. Prende il treno alle due il signor Pieri?
11. C'è un altro treno per Milano oggi?
12. A che ora parte questo treno?
13. C'è un posto libero per lui?
14. Ha preso il suo biglietto il signor Pieri?
15. Chi ha il biglietto?

Esercizio 79

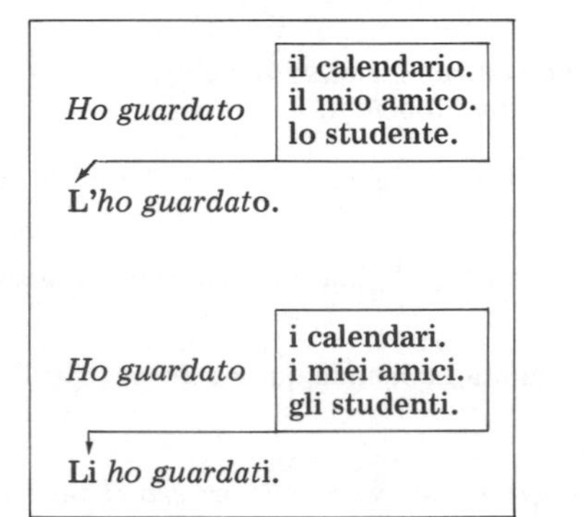

Risponda, prima con *sì*, poi con *no*.

Esempio: Ha scritto le lettere la segretaria?

Sì, le ha scritte. ______________________

No, non le ha scritte. ______________________

1. Ha letto le riviste il direttore?

____

____

2. La segretaria ha messo la tazza di caffè sul tavolo?

____

____

3. Ha comprato le Sue scarpe a Parigi Lei?

____

____

4. Ha preso l'autobus il direttore?

5. Abbiamo depositato gli assegni in banca?

6. Ha mandato le lettere la segretaria?

7. I turisti hanno guardato la chiesa?

8. Hanno aperto i pacchi le ragazze?

9. Abbiamo chiuso le finestre prima di uscire?

10. Lei ha aspettato i Suoi amici all'aeroporto?

Esercizio 80

IL CONTRARIO

—*È* **grande** *questa città?*
—*Al contrario, è molto* **piccola.**

Qual è il contrario di . . .

lungo	__________	dopo	__________
lontano	__________	davanti	__________
nuovo	__________	nulla	__________
cattivo	__________	pochi	__________
male	__________	qualche cosa	__________
buoni	__________	nessuno	__________
occupato	__________	una parte	__________
alto	__________	meno	__________
lo stesso	__________	l'ultimo	__________
molto	__________	i primi	__________
cominciare	__________	finito	__________
rispondere	__________	aprire	__________
entrare	__________	chiuso	__________
ricevuto	__________	spendere	__________
scendere	__________	risparmiato	__________
salito	__________	dare	__________

Esercizio 81

LA STAZIONE È NEL CENTRO DELLA CITTÀ

	a	di	in	su	da
il	*al*	*del*	*nel*	*sul*	*dal*
l'	*all'*	*dell'*	*nell'*	*sull'*	*dall'*
la	*alla*	*della*	*nella*	*sulla*	*dalla*
lo	*allo*	*dello*	*nello*	*sullo*	*dallo*
i	*ai*	*dei*	*nei*	*sui*	*dai*
le	*alle*	*delle*	*nelle*	*sulle*	*dalle*
gli	*agli*	*degli*	*negli*	*sugli*	*dagli*

Completi le frasi!

Esempio: La stazione è ___*nel*___ centro ___*della*___ città.

1. Il signor Pieri è arrivato________stazione senza una lira________tasca.
2. Il nome________studente è scritto________suo libro.
3. Porto una parte________stipendio________banca.
4. Il direttore dice "buongiorno"________impiegati________ditta.
5. Ho un po' di denaro________tasche________miei pantaloni.
6. Ci sono molte macchine________strade________ore cinque.
7. Vengo________aeroporto________Roma.
8. La macchina________direttore è________parcheggio.
9. Ho comprato un biglietto________Roma________Milano.
10. L'aereo________amici di Paolo è arrivato________aeroporto.

Esercizio 82

IL SIGNOR FEDERICI È A ROMA PER DUE GIORNI.

ALBERGO "GIULIO CESARE"
ROMA

30 / 5 / 1984
(giorno) (mese) (anno)

CAMERA No. 118

COGNOME: Federici

ABITA A Verona
(citta)

NOME: Federico

PROFESSIONE: Impiegato

F. Federico
(Firma)

NAZIONALITÀ: Italiano

Risponda, per favore!

1. Qual è il cognome di questo signore? __________
2. Da dove viene il signor Federici? __________
3. In quale città sta oggi? __________
4. Quanti ne abbiamo oggi? __________
5. Qual è la sua professione? __________
6. È francese lui? __________
7. Qual è la sua nazionalità? __________
8. Qual è il nome di quest'albergo? __________
9. In quale camera sta? __________
10. Ha messo la sua firma lui? __________

CAPITOLO 12-RICAPITOLAZIONE

Che cosa è?
È . . .
—il naso
l'orecchio

—un fiore
una margherita
una rosa
una violetta

—un monumento
un pianoforte
un rumore
un violino

—la benzina
la bocca

—una canzone
una colazione
la prima colazione
un'opera (di . . .)

Sono gli occhiali.

I verbi:
—bussare / bussato
cantare / cantato
mangiare / mangiato
suonare / suonato

—sentire / sentito

—bere / bevuto
vedere / veduto

Che cibo mangia Lei?
Mangio . . .
—del formaggio
del gorgonzola
del pane
del pesce

—dei contorni
dei panini

—della carne
della frutta
della marmellata

—un uovo
due uova

Che odore (sapore) ha . . . ?

—Ha | buon / cattivo | odore

—Ha odore { forte / gradevole / sgradevole

—Non ha odore!

Quali bibite Le piacciono?
Mi piace . . .
—limonata
succo d'arancia

Le piace il vino italiano?
Sì, mi piace (molto).

Ha Lei del vino?
—Sì, *ne* ho.
Sì, *ce* n'ho.

—No, non *ne* ho.
No, non *ce* n'ho.

V'è (= c'è)
—ve n'è
non ve n'è

—(ve ne sono)
(non ve ne sono)

Come si parla?
Si parla . . .
—forte
piano
pianissimo

Come si vede?
Si vede . . .
—bene/male
—meglio con gli occhiali
peggio senza occhiali

Le cose piccole:
—un bicchierino
un panino
un ragazzino, *ecc.*

—una piccolina
una ragazzina
una tazzina, *ecc.*

Espressioni:
—"Molto piacere."
"Piacere mio."

—"Le dispiace *se* fumo?"
"Prego!"

NASTRO NUMERO 12

LA PRIMA COLAZIONE

Persone: *Il cameriere del bar*
Un signore americano o inglese
Una signora italiana

(Al bar)

Cameriere — Un tavolino, signore?

Signore — Sì, grazie.

(Il signore prende posto.)

Cameriere — Ecco, va bene.

Signore — Mi porti un. . . .

(Un rumore forte di tazze, bicchieri e gente.)

Cameriere — Scusi, signore, non ho sentito. Che cosa ha detto?

Signore — Ho detto: un succo di pompelmo.

Cameriere — Un succo di che cosa?

Signore — Un succo di pompelmo.

Cameriere — Oh, questo no, non c'è, mi dispiace.

Signore — Allora, due uova. . . .

Cameriere — Scusi, signore; Lei ha detto . . . dell'uva?

Signore — No, due uova! Due uova con toast.

Cameriere — Ah.

Signore — Sì, con toast.

Cameriere — Scusi, signore, non ci sono toast, non ce ne sono. Le porto dei panini, signore?

Signore — E va bene!

Cameriere — Due uova, due panini. Con burro?

Signore — Va bene.

(Una signora entra.)

Signora — Cameriere, prego.

Cameriere — Sì, signora?

Signora — Un caffelatte e una brioche.

Cameriere — Subito, signora!

Cameriere (tra sè) — Un caffelatte e una brioche. Perfetto. Ma quell'altro! Che ha detto? Succo. Succo di pompelmo. Con toast. E poi a detto: "Dell'uva." Non capisco quella gente.

(Nastro numero 12)

Risponda, per favore!

1. Siamo in un bar americano o italiano?
2. C'è whisky in questo bar?
3. C'è succo di pompelmo?
4. Ci sono toast in questo bar?
5. Che cosa prende il signore?
6. Prende panini con o senza burro?
7. Di che nazionalità è il signore?
8. Chi entra nel bar, un altro signore o una signora?
9. Anche la signorina prende uova e panini?
10. Che cosa prende?

CIBI: FRUTTA E VERDURA

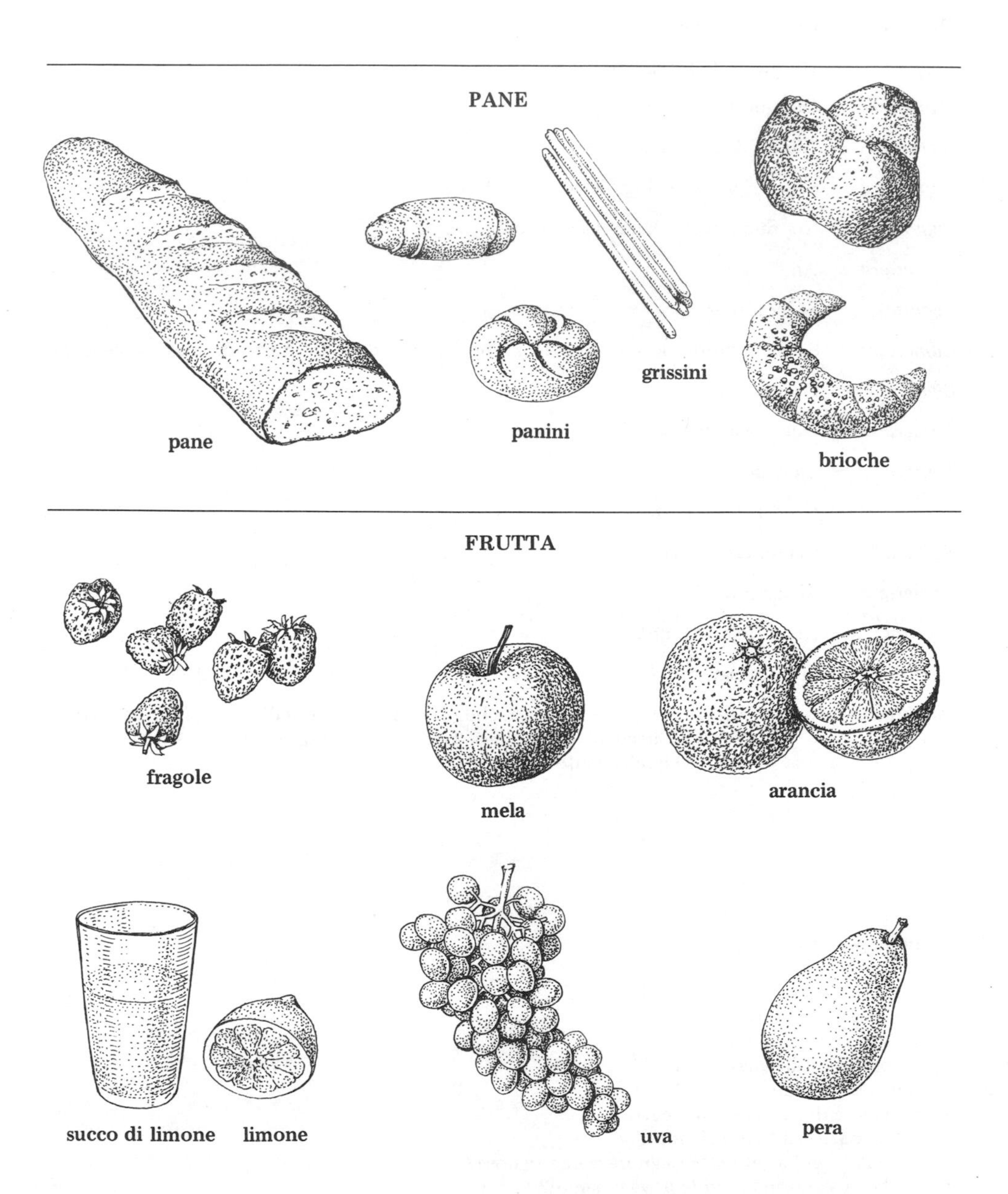

CONTORNI

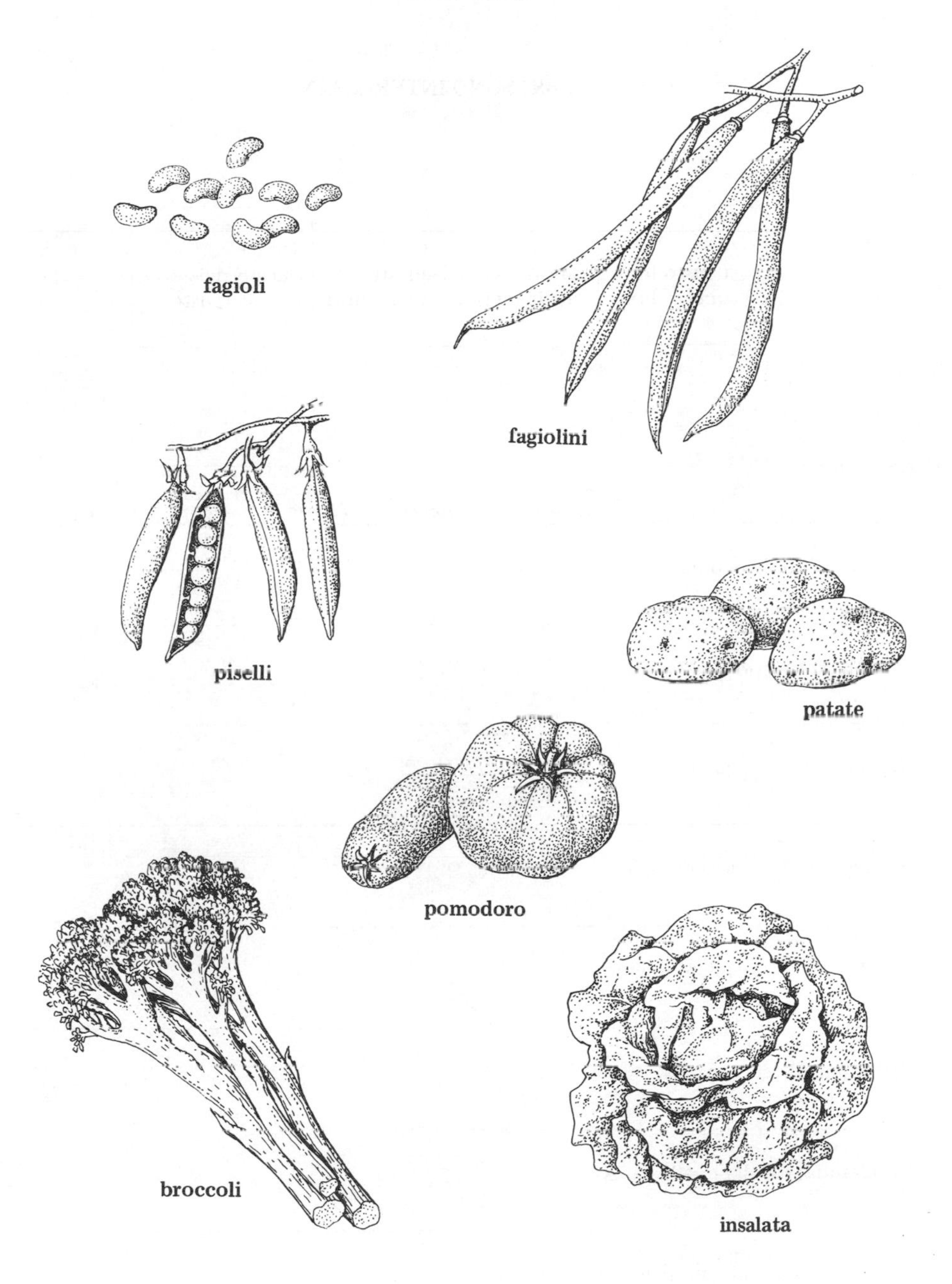
fagioli
fagiolini
piselli
patate
pomodoro
broccoli
insalata

Esercizio 83

QUESTI LIBRI SONO INTERESSANTI

A.

il	la	i	le
questo libro	questa rivista	questi libri	queste riviste
quel libro	quella rivista	quei libri	quelle riviste

Metta al plurale:

Questo libro è interessante. Questi libri sono interessanti.

1. Questo panino è buono.

____

2. Ho comprato questa pera.

____

3. Non ho mangiato quella mela.

____

4. Bevo questo bicchiere di birra.

____

5. Non bevo quel bicchiere di vino.

____

6. Egli suona queste canzoni.

____

7. Lei (Nanda) ascolta quella canzone.

____

8. L'odore di quel fiore mi piace.

____

B.

quale libro? quali libri?	questo o quello? questi o quelli?

Metta al plurale:

1. Quale fiore Le piace, questo o quello?

____

2. Quale rosa Le piace, questa o quella?

____

3. Quale articolo ha letto, questo o quello?

____

4. Quale rivista ha comprato, questa o quella?

____

C.

lo (studente)	l' (occhio)	**gli** (studenti, occhi)
questo studente quello studente	quest'occhio quell'occhio	questi studenti, occhi quegli studenti, occhi

Metta al plurale:

1. Questo studente non studia molto. ______________________________
2. Quello studente studia di più. ______________________________
3. Quest'occhio mi piace molto. ______________________________
4. Quell'occhio mi piace di meno. ______________________________
5. Questo italiano è simpatico. ______________________________
6. Quello spagnolo è simpaticissimo. ______________________________

Esercizio 84

LEI MANGIA IL PANINO MA IO NON LO MANGIO

A.

Io mangio **il panino.** Lei vede **la rosa** Noi guardiamo **i fiori.** Loro ascoltano **le opere**	Io **lo** mangio. Lei **la** vede. Noi **li** guardiamo. Loro **le** ascoltano.

Risponda con **lo, la, li, le:**

1. Lei mangia il limone? No, ______
2. Mangia i limoni? No, ______
3. Canto questa canzone? Sì, ______
4. Cantiamo queste canzoni? Sì, Loro ______
5. Ascoltiamo il concerto? Sì, Loro ______
6. Loro ascoltano i due concerti? No, noi ______
7. Lei suona la 5ª sinfonia? No, ______
8. Essi suonano le sinfonie? Sì, ______

B. *Risponda con* **gli, le, loro:**

1. Scriviamo una lettera al signor Ferri? Sì, ______
2. Mandiamo la lettera alla signora? No, ______
3. Parliamo ai signori Ferri? Sì, ______
4. Lei telefona alla signorina Caterina? Sì, ______
5. Rispondo a mio padre? Sì, ______
6. Lei dà i fiori a Elena? Sì, ______

C. *Risponda con* **Le, mi, ci:**

1. Le porta un espresso il cameriere?

   Sì, il ______________________________

2. Mi porta anche un espresso?

   Sì, ______________________________

3. Quanti espressi ci porta?

   ____

4. Mi dice il Suo nome?

   Sì, ______________________________

5. Le dico il mio nome?

   Sì, ______________________________

6. Le piace mangiare carne?

   Sì, ______________________________

7. Le piacciono le fragole?

   No, ______________________________

8. Mi piacciono le uova?

   No, ______________________________

Esercizio 85

I FIORI HANNO UN BUON ODORE

Risponda alle domande:

1. Hanno un buon odore le violette?

___

2. Ha un buon odore la rosa?

___

3. Hanno odore le margherite?

___

4. La benzina ha un odore buono o sgradevole?

___

5. Sono fiori, le violette e le margherite?

___

6. Che cos'è la rosa?

___

FIORI

rosa

violette

margherite

LA BELLA SEGRETARIA

Persone: *Il signor Bianchi*
Il suo collega
La signorina Negroni, la bella segretaria

(In ufficio alle ore dieci.)

Collega — Buongiorno, signor Bianchi. Come sta?

Signor Bianchi — Bene, grazie. E Lei?

Collega — Molto bene, grazie. Ma mi dica, caro collega, quella signorina è nuova qui, non è vero?

Signor Bianchi — Sì, sì, è la signorina Negroni.

Collega — È la Sua segretaria?

Signor Bianchi — Sì, è la mia nuova segretaria.

Collega — È molto, ma molto bella!

Signor Bianchi — Sì è bella, ma. . . .

Collega — Ma . . . che cosa?

Signor Bianchi — Senta! Senta come scrive a macchina! Scrive lentamente e poi fa molti errori!

Collega — Ma quegli occhi azzurri! E quei capelli biondi! E le mani, piccole e belle?

Signor Bianchi — Insomma! Ha portato le lettere della FIAT Lei?

Collega — No, le lettere sono nel Suo ufficio.

Signor Bianchi — Allora, chiamiamo la mia bella segretaria. . . .

(Apre la porta.)

Signor Bianchi — Signorina Negroni, per piacere!

Signorina Negroni — Sì, signor direttore! Le porto il Suo caffè.

(Entra con il caffè.)

Signorina Negroni — Dove lo metto? Qui va bene?

Signor Bianchi — Ma no, signorina, non metta il caffè sulla sedia! Lo metta sulla mia scrivania! Grazie!

(La signorina esce.)

Signor Bianchi — Ma guardi! Questo non è un caffè, è un cappuccino!

Collega — Non Le piace il cappuccino?

Signor Bianchi — No, non bevo latte. Mi piace l'espresso, ma la signorina Negroni non lo capisce.

Collega — Ma è così bella!

Signor Bianchi — Dunque, le lettere della FIAT. *(Apre la porta.)* Signorina Negroni, per piacere! *(La signorina non risponde.)* Vede? Telefona.

Collega — Ma, anch'io telefono, e anche Lei!

Signor Bianchi — Sì, ma la signorina Negroni, in ufficio, telefona a sua madre, a sua sorella e agli amici. . . .

Collega — Oh, anche agli amici? Adesso capisco. . . . Comincio a capire!

Signor Bianchi — È bella, ma. . . .

Esercizio 86

VERBI (-ARE) AL PASSATO

	Oggi		Ieri	
fumare cantare	fumo canto	fuma canta	ho fumato ho cantato	ha fumato ha cantato

Oggi parlo con Lei. Ieri ho parlato con Lei.

1. Questa sera ascolto della musica.

   Ieri sera ____________________

2. Oggi lavoro a casa mia.

   Ieri ____________________

3. Questa mattina cominciamo alle nove.

   Ieri mattina ____________________

4. Oggi non telefono molto.

   Ieri ____________________

5. Il direttore compra della frutta.

   Ieri ____________________

6. Lui ordina anche del vino.

   Ieri ____________________

7. Non parla dell'uva, ma delle uova.

   Ieri ____________________

8. Non guadagno nulla.

   Ieri ____________________

CAPITOLO 13-RICAPITOLAZIONE

Che cosa è?
È . . .
—il conto
il menu
il servizio

—la lista
la mancia
acqua minerale

—un coltello
un cucchiaio
un fiasco
un piatto
il primo piatto
il secondo piatto
un sandwich

—una forchetta
una tavola

Verbi:
—cenare (cenato)
dimenticare (dimenticato)
far colazione (fatto colazione)
ordinare (ordinato)
pranzare (pranzato)
tagliare (tagliato)
versare (versato)

—preferire (preferito)

—chiedere (chiesto)
tenere (tenuto)

—lasciare (lasciato)
—la mancia sul tavolo
il cane a casa
la porta aperta

A che ora si mangia?
Si fa colazione alle otto.
Si pranza all'una.
Si cena alle sette di sera.

Come prende Lei la Sua bistecca?
La prendo . . .
—al sangue
non troppo cotta
ben cotta

Con che cosa mangia Lei la carne?
La mangio . . .
—con contorno
con patate fritte
con riso

Che cosa si mette nell'insalata?
Si mette . . .
—aceto —limone —pepe
aglio olio sale

Ha fame / sete?
Sì, ho molta fame / sete.
No, non ho fame / sete.

Ha già cenato?
Sì, ho *già* cenato.
No, *non* ho *ancora* cenato.

Vorrebbe ancora del vino?
No, basta!
No, ho abbastanza vino.

C'è del caffè nella tazza?
Sì, la tazza è *piena.*
No, la tazza è *vuota.*

Che cosa farà Lei domani?
Domani io . . .
—andrò al cinema
vedrò un film, *ecc.*

Espressioni:
—"Cameriere!"
"Vorrei ordinare."
"Vorrei una bistecca!"

—"Buon appetito!"
"Salute!"
"Alla Sua salute!"
"Alla Sua!"

—"Il conto, per piacere!"
"Il servizio è compreso?"

NASTRO NUMERO 13

UNA CENA AL RISTORANTE

Persone: *Rossi, capufficio*
Bettina, sua moglie
Cameriere

(Il signor Rossi è nel suo ufficio. Sono le sette di sera. Ha fame e telefona a sua moglie.)

Signor Rossi — *(Fa il numero.)* 240-766. . . . Ecco.

Signora — Pronto. Chi parla?

Signor Rossi — Sono io, Bettina. Ho fame. Andiamo al ristorante, stasera?

Signora — Sì, sì, con piacere.

Signor Rossi — Va bene. Alle otto. Da Nino. Mangiamo da Nino. Capito?

Signora — Sì, caro. Da Nino alle otto.

(Alle otto il signor Rossi è davanti al ristorante. Alle nove la signora Rossi non c'è ancora.)

Signor Rossi — Quella donna, quella donna! Abbiamo detto alle otto. Adesso sono le nove. Ma dov'è mia moglie? Aspetto da un'ora. Aspetto da SESSANTA minuti, e non arriva ancora.

(La signora Rossi arriva.)

Signora — Ciao, caro. Eccomi. Come va?

Signor Rossi — Benissimo. Benissimo.

Signora — Entriamo? Ecco un tavolo per noi. Qui c'è posto. Sediamoci!

Signor Rossi — Sediamoci!!!? Ho aspettato SESSANTA minuti! Non so se ho fame o no!

(Finalmente i signori Rossi si siedono.)

Signora — Cosa mangiamo?

Signor Rossi — Cosa mangiamo!!

Signora — Sì! Che cosa mangiamo? Mi piace mangiare quando vado al ristorante.

Signor Rossi — Non so se ho fame o no.

Signora — A me fa piacere mangiare quando vado al ristorante. Non c'è un cameriere qui?

Signor Rossi — Non so. . . .

(Si vede un cameriere.)

Signora — Cameriere! Cameriere! Ci porti il menù.

Cameriere — Ecco il menù, signora. Che cosa ordina, signora?

Signora — L'antipasto . . . , vermicelli, sì, alla bolognese con molta carne; e poi il pollo arrosto è buono, non è vero? Una bistecca grande, ben cotta, con patate. Sì, con un'insalata di pomodori, un. . . .

Signor Rossi — Basta! basta!

Cameriere — Sissignora, sissignora, subito. E Lei, signore, lo stesso?

Signor Rossi — Senta, cameriere! Ho aspettato mia moglie sessanta minuti! Non ho più fame. Non ho più sete. Torno a casa. Mi chiami un taxi, per piacere.

Cameriere — Un taxi a quest'ora, signore! Come? Le piace aspettare altri sessanta minuti? È meglio mangiare prima.

CIBI: PASTA, PESCE, CARNE

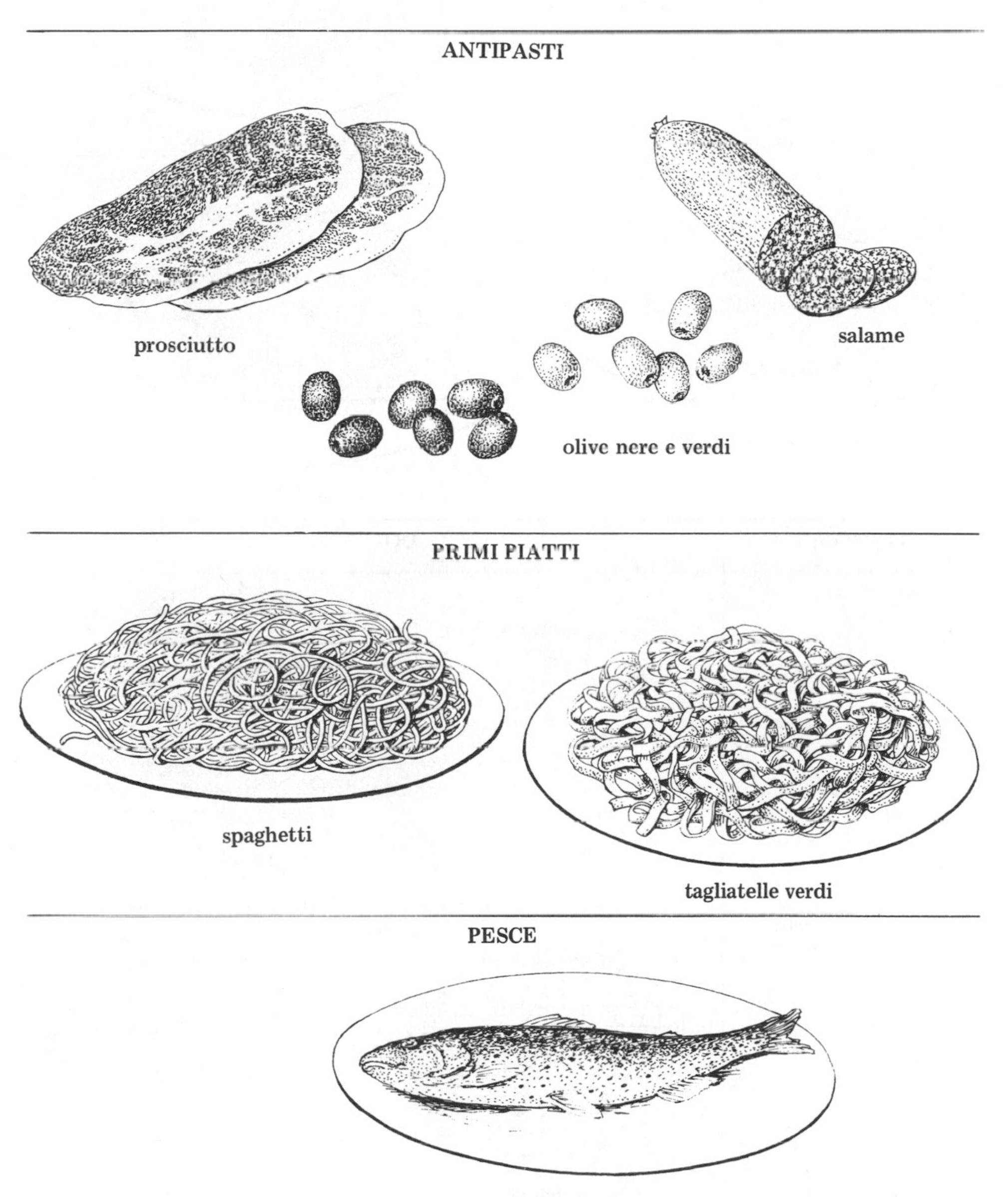

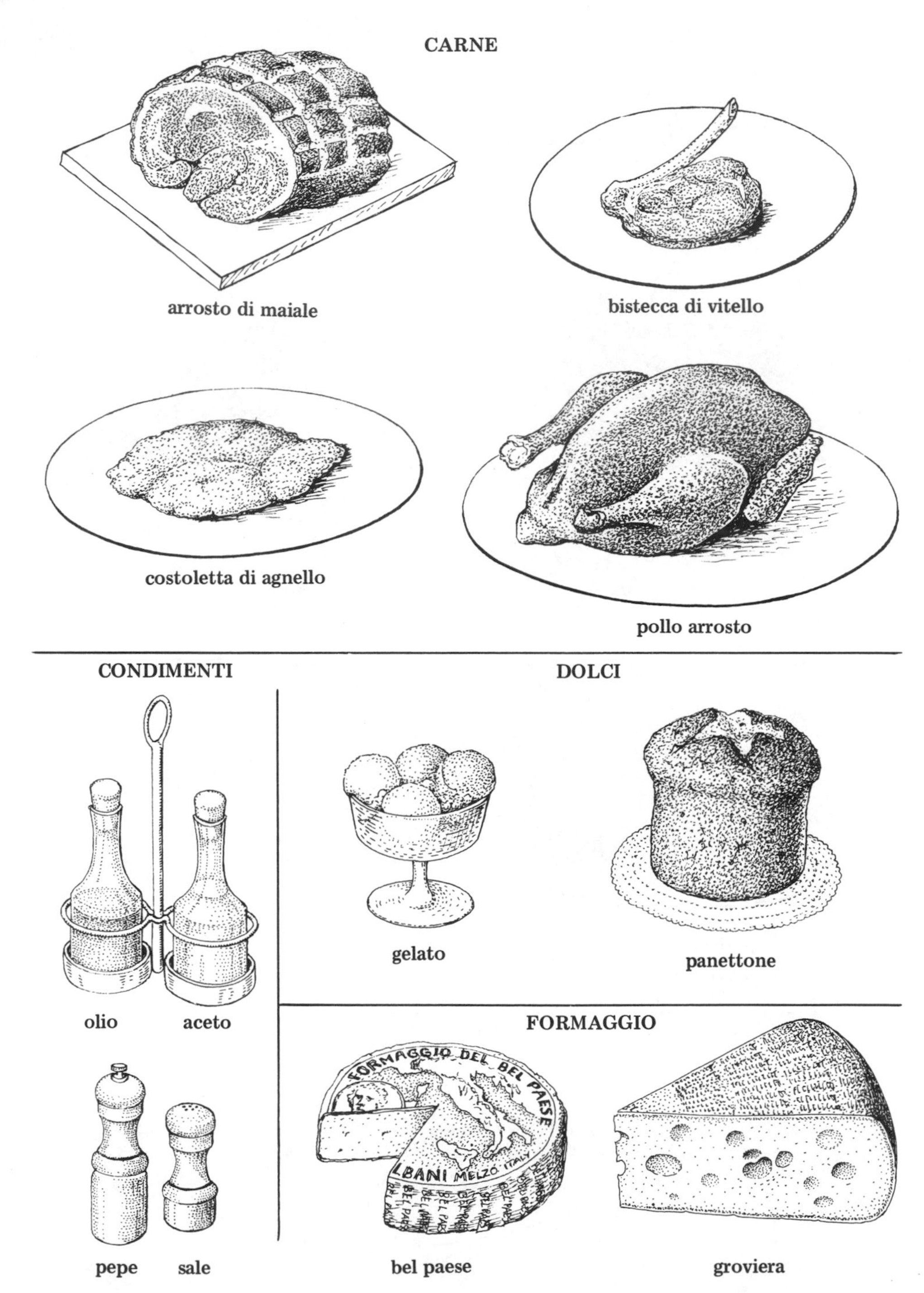
CARNE
arrosto di maiale
bistecca di vitello
costoletta di agnello
pollo arrosto
CONDIMENTI
olio
aceto
pepe
sale
DOLCI
gelato
panettone
FORMAGGIO
FORMAGGIO DEL BEL PAESE
LBANI MELZO ITALY
bel paese
groviera

I PASTI IN ITALIA

La mattina non si mangia molto in Italia. Molti prendono un caffelatte con un po' di pane o un cappuccino con una brioche. Per la prima colazione non si mangiano uova e nemmeno si beve succo di frutta, come in altri paesi europei e americani.

Il secondo pasto si chiama "pranzo." I milanesi vanno a pranzo alle dodici e mezzo, i romani all'una, e i siciliani alle due. Si mangiano due piatti: minestra o pasta; poi carne o pesce; e infine un po' di frutta. A pranzo si beve vino: un quartino o un fiaschetto o una bottiglia. Poi, la sera, si cena. La cena non è molto differente dal pranzo. Ai milanesi piace cenare alle otto, ai romani alle nove, ed i siciliani preferiscono cenare alle dieci.

Prima del pranzo e della cena si prende un aperitivo; dopo mangiato, si prende un espresso. Buon appetito a tutti!

MENÙ

Coperto - Pane

Antipasti
- Prosciutto e melone
- Antipasto misto
- Salmone affumicato

Minestre
- Brodo di pollo
- Minestrone
- Zuppa di pesce

Primi piatti
- Spaghetti al ragù
- Pasta al forno
- Lasagne alla bolognese
- Tagliatelle alla genovese
- Risotto alla milanese

. . . .

Uova
- Uova al tegame (al burro)
- Uova strapazzate
- Frittata

Carne
- Pollo arrosto
- Cotoletta di vitello alla milanese
- Arrosto di vitello
- Arrosto di maiale
- Scaloppine al marsala
- Bistecca ai ferri

Pesce
- Fritto misto
- Merluzzo bollito con maionese

Contorni
- Insalata verde
- Pomodori ripieni al forno
- Zucchini
- Patatine fritte
- Puré di patate
- Spinaci al burro

. . . .

Dolci
- Torte
- Paste

Gelati
- Spumone
- Cassata siciliana
- Semifreddi

Formaggi
- Groviera
- Bel Paese

Frutta
- Frutta fresca di stagione

Vini
- Chianti
- Lambrusco
- Orvieto
- Castelli Romani
- Asti Spumante

Aperitivi
- Cinzano
- Carpano
- Campari

Liquori
- Strega
- Sambuca

Esercizio 87

LEI BEVE DEL CAFFÈ O NON NE BEVE?

Tutto	Una parte	
Il caffè è buono. *La* birra mi piace.	Bevo *del* caffè. Bevo *della* birra.	= *ne* bevo
I fagioli sono buoni. *Le* patate mi piacciono.	Mangio *dei* fagioli. Mangio *delle* patate.	= *ne* mangio
Lo zucchero mi piace. *Gli* spaghetti sono buoni.	Compro *dello* zucchero. Compro *degli* spaghetti.	= *ne* compro

Risponda con "ne," per favore!

Compra delle patate Lei?

Sì, ne compro. No, non ne compro.

1. Lei mangia carne ogni sera?

   Sì, ____________ No, ____________

2. Loro mangiano pesce ogni venerdì?

   Sì, noi ____________ No, ____________

3. Carlo prende zucchero con il tè?

   Sì, ____________ No, ____________

4. Ha preso zucchero?

   Sì, ____________ No, ____________

5. Lei ha bevuto vino siciliano?

   Sì, ____________ No, ____________

6. Ha comprato vino per berne stasera?

   Sì, ____________ No, ____________

7. Ha ordinato frutta per mangiarne adesso?

   Sì, ____________ No, ____________

Esercizio 88

VERBI (ALZARSI, SEDERSI) AL PRESENTE

alzarsi

io mi alzo Lei si alza egli (lui) si alza ella (lei) si alza	noi ci alziamo Loro si alzano essi si alzano esse si alzano
si alzi!	si alzino!
alziamoci!	

sedersi

io mi siedo Lei si siede	noi ci sediamo Loro si siedono
si sieda!	si siedano!
sediamoci!	

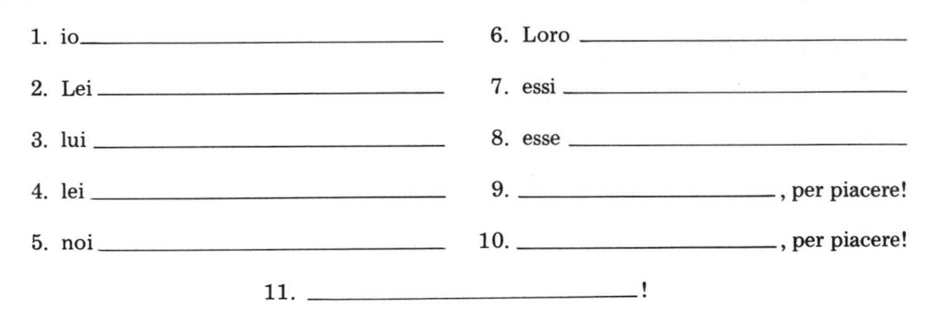

A. *fermarsi*

1. io ________________
2. Lei ________________
3. lui ________________
4. lei ________________
5. noi ________________
6. Loro ________________
7. essi ________________
8. esse ________________
9. ________________, per piacere!
10. ________________, per piacere!
11. ________________!

B. *chiamarsi*

Come si chiama quella signora?

1. Io ________ Gherardo.
2. Come ________ Lei?
3. Come ________ questa bambina?
4. Come ________ Loro?

Esercizio 89

VERBI (-ERE) AL PASSATO

Oggi: scrivo, leggo, prendo, metto, chiudo, chiedo, ricevo, tengo, spendo
Ieri: ho scritto, letto, preso, messo, chiuso, chiesto, ricevuto, tenuto, speso

Scriva delle frasi complete:

Prendiamo posto in un piccolo ristorante.

Ieri sera abbiamo preso posto in un piccolo ristorante.

1. Il cameriere ci porta il menù.

   Ieri sera ______

2. Lo leggiamo, poi ordiniamo.

   Ieri sera ______

3. Chiediamo una bottiglia di vino.

   Ieri ______

4. Poi mangiamo un bel piatto di minestra.

   Poi ______

5. Ricevo il conto e lo pago.

   Anche ieri ______

6. Non spendo molto.

   Anche ieri sera ______

7. Lascio una piccola mancia per il cameriere.

   Anche ieri sera ______

8. Perchè non chiude la porta?

   Perchè ______ ieri sera?

9. Perchè non mette il cappello?

   Perchè ______

Esercizio 90

GIÀ . . . ?   NON . . . ANCORA

Ha già letto il giornale?

Sì, ho già letto il giornale.

No, non ho ancora letto il giornale.

1. Hanno già visto il cameriere?

Sì, noi ____________________

No, ____________________

2. Hanno già ordinato?

Sì, ____________________

No, ____________________

3. Lei ha già preso l'aperitivo?

Sì, ____________________

No, ____________________

4. Lei ha già portato il conto?

Sì, ____________________

No, ____________________

5. Lei ha già pagato?

Sì, ____________________

No, ____________________

6. Ha già lasciato una mancia sul tavolo?

Sì, ____________________

No, ____________________

CAPITOLO 14-RICAPITOLAZIONE

Che cosa è?
È . . .
—un apparecchio
un elenco telefonico
un gettone
un passaporto

—una cabina
una cucina
una medicina
una scuola elementare
una trattoria
una valigia

Sono dei soldi.

Verbi:
—cambiare
camminare
cercare
consigliare
far vedere
raccomandare

—rompere (rotto)
spedire
stracciare
telefonare
trovare
voler bene

Verbi servili:
—potere
(posso, può, possiamo, possono)
—volere
(voglio, vuole, vogliamo, vogliono)
—dovere
(devo, deve, dobbiamo, devono)
—sapere
(so, sa, sappiamo, sanno)
—aver bisogno
(ho . . . , ha . . . , abbiamo . . . , hanno . . . , bisogno)

Si può fumare qui?
—Sì, si può fumare qui.
Sì, è permesso.

—No, non si può fumare qui.
No, non è permesso.

Siamo ancora in agosto?
Sì, siamo *ancora* in agosto.
No, *non* siamo *più* in agosto.

Perchè va Lei al ristorante?
Ci vado *perchè* . . .
—voglio mangiare
ho fame, *ecc.*

Dove va quest'anno?
Vado in America.
Vado dai genitori.
Vado all'estero.

È nuova questa macchina?
No, l'ho comprata *di seconda mano.*

Al telefono:
—"Pronto, chi parla?"

NASTRO NUMERO 14

UNA TELEFONATA DA MILANO A ROMA

Persone: *Una signora*
L'impiegato dei telefoni

Luogo: *Milano, direzione dei telefoni*

Impiegato — Quale elenco cerca, signora?

Signora — Cerco l'elenco di Roma.

Impiegato — Eccolo, signora.

(La signora prende l'elenco e l'apre.)

Impiegato — Ha trovato il numero, signora?

Signora — Sì, il 35.24.42 di Roma. In che cabina devo andare?

Impiegato — Vada nella cabina dieci, signora.

Signora — Dieci. Grazie. Mi dica un po', ho bisogno di gettoni per telefonare?

Impiegato — Di gettoni? Qui? All'ufficio? No, signora.

Signora — Pago prima o dopo?

Impiegato — Lei pagherà dopo la telefonata, signora.

(La signora entra nella cabina e fa il numero.)

Signora — . . . 24.42. Ecco. Pronto! C'è il signor Loconsole? Il signor Lo-con-so-le, per piacere. . . . Sono . . . sono . . . un'amica. Ecco. Pronto! Il signore non c'è. . . . Come? . . . È uscito? Ritorna alle cinque? Oh!

(La signora esce dalla cabina e ritorna alla scrivania dell'impiegato.)

Impiegato — Già finito, signora?

Signora — Sì, ho già finito. Quanto Le devo?

Impiegato — Vediamo un po'! . . . Lei ha parlato due minuti . . . mi deve 400 lire.

Signora — Lei ha detto 400 lire? Ecco un biglietto da mille lire. Mi vuole dare il resto?

Impiegato — Ecco, signora—600 lire. Conti il denaro per piacere.

Signora — Ma sì, va bene. E grazie.

(Nastro numero 14)

Risponda, per favore!

1. Dov'è la signora?
2. In quale città vuole telefonare?
3. Dove ha trovato il numero di telefono?
4. È libera la cabina nove?
5. In quale cabina deve andare la signora?
6. Ha bisogno di gettoni lei?
7. Con chi vuole parlare?
8. Quando deve pagare, dopo la telefonata o prima?
9. Perchè non può parlare con lui?
10. Quanto costa la telefonata?

Esercizio 91

VERBI (VOLERE, POTERE, DOVERE) AL PRESENTE

A.

Vado a scuola per imparare l'italiano. Vado a scuola **perchè voglio** imparare l'italiano.

Usi una delle seguenti forme del verbo volere: voglio, vuole, vogliamo, vogliono

1. Vado in trattoria per mangiare qualche cosa.

   Vado in trattoria perchè ______________________________

2. Lei legge il menù per ordinare una minestra.

   Lei legge il menù perchè ______________________________

3. Apriamo la borsa per pagare il conto.

   ____

4. I ragazzi ritornano a casa per cenare.

   ____

5. I nostri amici telefonano per consigliarci* un albergo.

   ____

6. Ci andiamo per chiedere una camera.

   ____

B.

Legga queste lettere, signora! *Non posso* leggerle.

Risponda con una delle seguenti forme del verbo potere: posso, può, possiamo, possono

1. Legga il giornale russo, signorina!

   Non ______________________________

*consigliarci = raccomandarci

2. Leggano il giornale giapponese, signorine!

   Non ______________________________

3. Ripeta questa parola, per favore!

   Non ______________________________

4. Ripetano questa domanda, signori!

   Non ______________________________

5. Io voglio che Carlo venga alle cinque.

   Carlo non ______________________________

6. Voglio che Carlo e Maria vengano domani.

   Carlo e Maria non ______________________________

C.

La signora mi ha detto di aspettare. *Io devo* aspettare.

Usi una delle seguenti forme del verbo dovere:

devo, deve, dobbiamo, devono

1. La signora mi ha detto di andare in città.

   Io ______________________________

2. Lei ha detto a Carlo di venire con me.

   Carlo ______________________________

3. Ha detto a Carlo e Maria di farmi vedere la città.

   Carlo e Maria ______________________________

4. Ci ha detto di comprare della frutta.

   Noi ______________________________

5. Ci ha detto di non andare al cinema.

   Noi ______________________________

6. Ci ha detto di tornare prima delle otto.

   Noi ______________________________

Esercizio 92

ALTRI VERBI AL PASSATO

Scriva le frasi seguenti al passato:

Oggi: finisco, capisco, do, faccio, dico, sento, vedo, tengo, so, chiedo
Ieri: ho finito, capito, dato, fatto, detto, sentito, veduto (visto), tenuto, saputo, chiesto

1. Sento il bambino, ma non lo vedo.

   Ieri mattina ______________________________

2. Lui fa molto chiasso.*

   Ieri mattina ______________________________

3. Gli dico di andare in giardino.

   ____

4. Lui mi capisce molto bene e non dice più niente.

   ____

5. Gli do il suo latte.

   ____

6. Così facciamo colazione insieme.

   ____

7. Lui finisce di bere e non chiede più niente.

   ____

8. Così so che lui è un bambino molto buono.

   ____

*Le automobili fanno rumore; i bambini fanno chiasso.

Esercizio 93

ANCORA . . . ? NON . . . PIÙ

Studia ancora l'italiano?

Sì, *lo studio ancora.*

No, *non lo studio più.*

1. Sente ancora il bambino?

Sì, ____________________

No, ____________________

2. Fa ancora molto chiasso?

Sì, ____________________

No, ____________________

3. È ancora in giardino?

Sì, ____________________

No, ____________________

4. Beve ancora il suo latte?

Sì, ____________________

No, ____________________

5. Vuole ancora latte?

Sì, ____________________

No, ____________________

6. È ancora buono?

Sì, ____________________

No, ____________________

"IL VINO È BUONO, IN ITALIA."

Persone: *Il signor Bianchi*
Mr. White, suo collega di Detroit
Luogo: *Ristorante dell'albergo "Cavour"*
Ore: *ore dodici e trenta.*

(Il cameriere ha portato due piatti di spaghetti.)

White — Perchè sono tanto lunghi questi spaghetti? È impossibile mangiarli così.

(Prende il coltello e comincia a tagliarli. Il signor Bianchi e il cameriere lo guardano. . . .)

Bianchi — Cosa fa, signor White! Scusi, ma . . . tagliare gli spaghetti! Non va bene! Lei dimentica che siamo in Italia. . . .

White	— Ma sono troppo lunghi! È impossibile mangiarli così.
Bianchi	— Guardi! Prenda il cucchiaio! No! Nella sinistra.* Ecco! E la forchetta nella destra. Bene. Adesso faccia come faccio io. Ecco! Bravo!
White	— Oh, mi scusi, mi scusi.
Bianchi	— Ma non c'è di che.
	(Il cameriere torna.)
Cameriere	— Che cosa bevono i signori?
Bianchi	— Ci porti una bottiglia di vino rosso. Gattinara, se c'è.
White	— E per me un bicchiere di latte.
Bianchi	— Ma, caro amico, scusi! Ha detto latte?! Con gli spaghetti e l'arrosto?! Latte?! Non deve dimenticare, siamo in Italia. Non si può. E poi, il vino italiano è molto buono, vedrà.
White	— Mi scusi, mi scusi. Ma poco, un bicchierino. Grazie, basta così.
Bianchi	— Guardi. Quel tavolo lì! La famiglia con i tre bambini.
White	— Questo poi . . . in Italia anche i bambini bevono vino?!
Bianchi	— Non più di un dito, ma un po' ne bevono.
	(Il cameriere ha portato il secondo piatto: l'arrosto di vitello con patatine.)
Bianchi	— Le piace l'arrosto?
White	— È molto buono. Anche la salsa. . . .
Bianchi	— Allora, Le verso ancora un po' di vino?
White	— Grazie, sì, anche il vino è buono. Ma come posso lavorare dopo? Spaghetti, arrosto, vino! ! !
Bianchi	— Lavorare! Lavorare! ! Le ripeto: siamo in Italia, no? Adesso beviamo un buon espresso, poi passeggiamo un po', guardiamo le ragazze, poi un altro caffè, e infine ritorniamo in ufficio.
White	— Benissimo. Allora, finiamo il vino. Tutto questo . . . tutto questo comincia a piacermi: Roma, il vino, l'espresso, le belle ragazze. Alla Sua salute, caro collega.
Bianchi	— Alla Sua, alla Sua! !

*nella sinistra = nella mano sinistra.

CAPITOLO 15-RICAPITOLAZIONE

Che cosa è?
È . . .
—un appuntamento per la
prossima lezione
un disco
un giardino pubblico
un museo
un parco

—una penna stilografica
una scuola media

Chi è?
È . . .
—il padrone
il parrucchiere

—un attore
un cliente
un commesso
un paziente

Verbi:
—ballare
discutere
giocare
a carte
a tennis
prendere un appuntamento

Dal parrucchiere:
—Mi faccia una messa in piega, per favore.
una permanente
Mi tagli i capelli!

Dal barbiere:
—Mi faccia la barba, per piacere!

Come viene Lei a scuola?
Ci vengo . . .
—coll'autobus
col treno
col tram

Com'è il Suo amico?
È . . .
—simpatico
molto simpatico

Ha moglie lui?
Sì, è sposato.
No, non è sposato.

Ha marito lei?
Sì, è sposata.
No, non è sposata.

NASTRO NUMERO 15

IL SIGNOR PIERI HA DIMENTICATO . . .

Ah, quel signor Pieri! Il suo treno è partito alle due. Ma lui ha dimenticato di andare alla stazione alle due. Ha dimenticato anche il denaro, e la stessa signorina, poi, gli ha comprato anche il biglietto. Adesso va tutto bene? Ma no! E perché no? Perchè quel biglietto lui non l'ha preso subito! Non l'ha messo in tasca, e non ha nemmeno preso il resto del denaro. La signorina gli ha anche portato qualche cosa da leggere. Lui ha preso il giornale ed il libro, ma il biglietto ed il denaro no. Poi è arrivato un altro treno, lui è salito, ha detto "grazie e arrivederla" alla signorina, ma ha dimenticato di chiederle il biglietto ed è partito senza una lira in tasca.

Dopo un po' è venuto il controllore:
— Biglietti! Favoriscano* i biglietti, per piacere. Ecco, grazie, signora. Lei va a Orvieto? Sì, arriva alle diciassette.

Tutto va bene per la signora.
— Prego, signori, i biglietti. Molte grazie. Ah, vanno a Parma. L'arrivo è alle . . . un momento, vediamo un po' . . . ecco, Parma alle ventidue.

Tutto va bene anche per i signori che vanno a Parma. Il signor Pieri è l'ultimo. Ma che cosa fa? Cerca il biglietto. Lo cerca in tutte le tasche:
— Scusi, controllore, non capisco. Non trovo il mio biglietto. In questa tasca non c'è. E non c'è in quest'altra. Non capisco. La signorina. . . .

Il controllore è molto gentile:
— Non trova il biglietto? Non fa niente, signore. Non fa niente. Ma mi dica dove va? Va a Orvieto?
— A Orvieto? Non so . . . no, non vado a Orvieto.
— E dove, allora? Va a Firenze?
— A Firenze? Ma non so. Se non trovo il biglietto. . . .
— Ma, signore! Sa bene dove va, no? ! A Firenze, a Bologna, a Modena, a. . . .
— Non lo so, controllore. Non lo so. Senza il biglietto non lo posso dire. L'ho dimenticato!

(Nastro numero 15)

*Favoriscano = Mi facciano vedere i biglietti (espressione usata dal controllore sul treno).

1,000 DOMANDE E 1,000 RISPOSTE

che cosa? chi? dove? come? quale? quali? quanto? quanta? quanti? quante? quando? a che ora? con che cosa? con chi? di che cosa? di che colore? di che nazionalità? perchè?	io posso Lei può egli (lui) può ella (lei) può noi possiamo Loro possono essi possono esse possono voglio vuole vogliamo vogliono mi piace Le piace ci piace a loro piace desidero desidera desideriamo desiderano preferisco preferisce preferiamo preferiscono devo deve dobbiamo devono vado a va a so sa sappiamo sanno	prendere mettere chiudere aprire andare uscire ritornare venire entrare arrivare partire parlare scrivere leggere imparare studiare domandare rispondere ripetere dire cominciare finire dare portare mandare mangiare bere fare colazione cenare ascoltare sentire cantare suonare guardare vedere lavorare comprare pagare spendere tenere avere essere stare

PERCHÈ PIETRO VUOL SAPERE L'INDIRIZZO DEL DIRETTORE

Persone: *Maria Negroni, la bella segretaria*
Pietro Volpe, un suo amico

Pietro — Buongiorno, Maria.

Maria — Buongiorno, Pietro.

Pietro — Mi dica una cosa, Maria. . . .

Maria — Sì?

Pietro — Può darmi l'indirizzo del Suo direttore?

Maria — Ma sì, eccolo. Lo prenda!

Pietro — Grazie, Maria.

Maria — Ma perchè lo vuole? Perchè ha bisogno dell'indirizzo del mio direttore?

Pietro — Perchè voglio andare a parlargli.

Maria — Ma, Pietro. . . .

Pietro — Sì, Maria?

Maria — Ma perchè deve parlargli?

Pietro — Vorrei lavorare con lui.

Maria — Dice che vuol lavorare con il mio direttore?

Pietro — Sì, Maria. Non capisce? Se lavoro con il Suo direttore, posso stare vicino a Lei!

Maria — Oh, Pietro . . . !

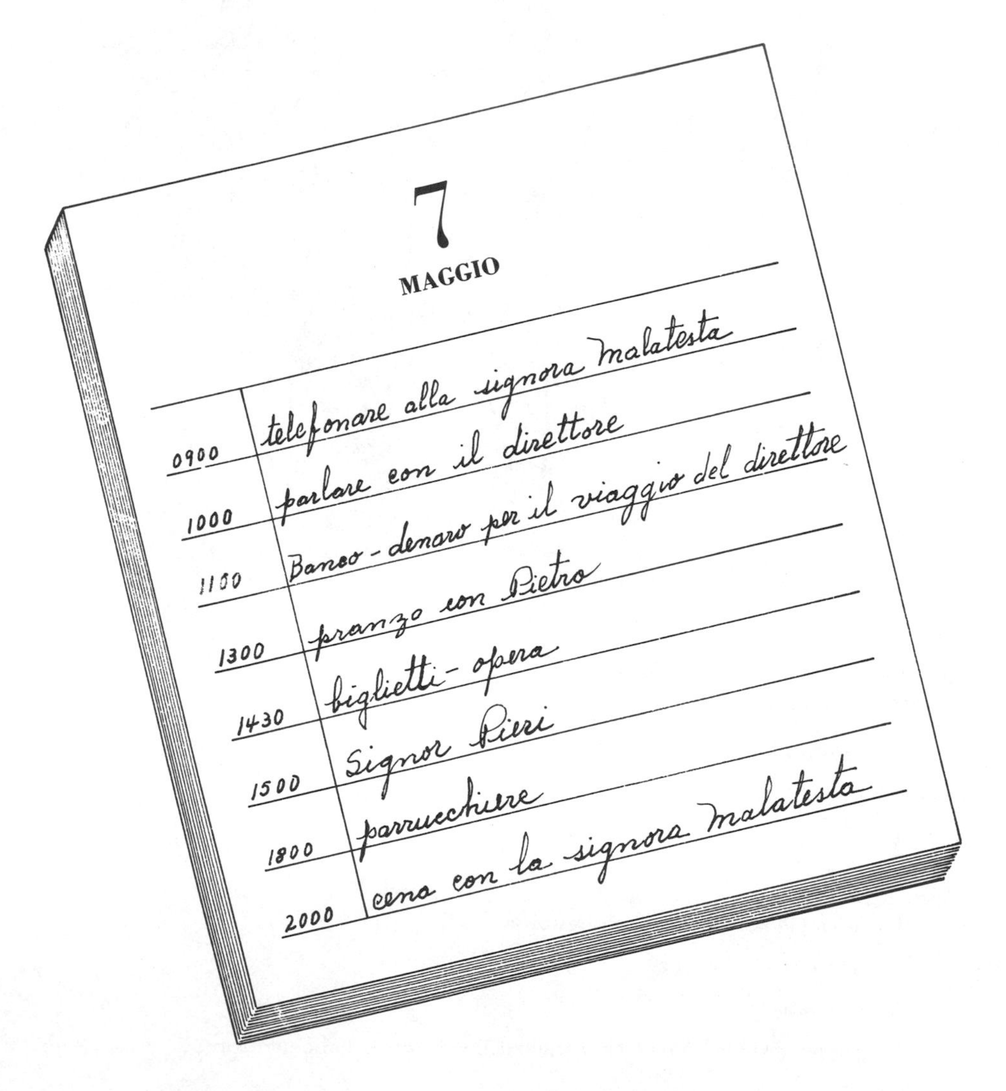

Esercizio 94

L'ITALIA E GLI ITALIANI

Risponda, scrivendo sulla riga:

1. Parigi è la capitale della Francia.
   Qual è la capitale dell'Italia?

   ____

2. Dov'è il Colosseo, a Roma o a Firenze?

   ____

3. Dov'è la città di Firenze, fra Roma e Bologna o fra Roma e Napoli?

   ____

4. Le persone che abitano in una città sono gli *abitanti* di quella città. Quanti abitanti ha Roma? Un milione, due milioni, o due milioni e mezzo?

   ____

5. I milanesi abitano a Milano.

   Dove abitano i fiorentini? ______________________________

   Dove abitano i bolognesi? ______________________________

   Chi abita a Roma? ______________________________

   Chi abita a Napoli? ______________________________

6. Sono gli italiani, "il popolo dei cinque pasti"?

   ____

7. Si mangiano patate per la prima colazione in Italia?

   ____

8. Quando si beve il caffelatte, per la prima colazione o a pranzo?

   ____

9. Prima di mangiare si prende il caffè o l'aperitivo?

____

10. Che cosa preferiscono bere gli italiani con i pasti, birra o vino?

____

11. Si mette zucchero nell'insalata in Italia?

____

12. Gli spaghetti si devono tagliare con il coltello?

____

13. Prima di bere un bicchiere di vino o un bicchierino di liquore, che cosa si può dire?

____

Esercizio 95

VERBI CHE USANO "ESSERE" AL PASSATO

A. *Oggi:* io vado, vengo, entro, esco, arrivo, parto, salgo, scendo, rimango, sono
Ieri: io sono andato, venuto, entrato, uscito, arrivato, partito, salito, sceso, rimasto, stato

Paolo è venuto.	I fratelli sono venuti.
Maria è venuta.	Le sorelle sono venute.

Paolo viene alle tre.

Paolo è venuto alle tre.

1. Pietro va all'ufficio di Maria.

____

2. Maria ci entra prima di lui.

____

3. Pietro e Maria sono in ufficio.

____

4. I due direttori arrivano in ritardo.

____

5. Uno rimane, ma l'altro esce subito.

____

6. Egli prende l'ascensore e scende.

____

7. Due signore scendono con lui.

____

8. La segretaria bussa alla porta ed entra.

____

9. Lascia delle lettere sulla scrivania e poi esce.

___

10. Alle dodici e trenta tutti escono per andare a pranzo.

___

11. Quando finiscono, pagano e tornano in ufficio.

___

12. Le due segretarie del signor Bianchi oggi non escono prima delle sei.

___

B.

Pietro si alza.	Pietro si è alzato.
Maria si alza.	Maria si è alzata.
I fratelli si alzano.	I fratelli si sono alzati.
Le sorelle si alzano.	Le sorelle si sono alzate.

Mi siedo. *Mi sono seduto.*

1. Lei si siede. ___

   Maria si siede. ___

   Ci sediamo. ___

   Essi si siedono. ___

2. Il treno si ferma. ___

   La macchina non si ferma. ___

   Tutti gli autobus si fermano. ___

   Le due automobili non si fermano. ___

Esercizio 96

LI HO VISTI

Ha visto il signor Volpe?	Sì, io l'ho visto.
Ha visto la signorina Negroni?	Sì, io l'ho vista.
Ha letto i libri?	Sì, io li ho letti.
Ha scritto le lettere?	Sì, le ho scritte.

Risponda, usando lo, la, li, o le.

1. Lei ha sentito il cane?	Sì, ______________________
2. Ha sentito la canzone?	No, ______________________
3. Chi ha sentito la canzone?	Pietro ______________________
4. Chi ha visto il cantante?	Pietro ______________________
5. Lei ha ascoltato le cassette?	Sì, ______________________
6. Hanno bevuto quella birra?	Sì, noi ______________________
7. Chi ha mangiato gli spaghetti?	Noi ______________________
8. Chi ha ordinato la cena?	Loro ______________________
9. Chi ha lasciato questa mancia,	Lui ______________________
lui o la signora?	______________________
10. Chi ha comprato i fiori per Maria?	Pietro ______________________
11. Chi non ha capito tutte queste	Maria ______________________
domande?	______________________
12. Chi ha scritto bene tutte	Io ______________________
le risposte?	______________________

Esercizio 97

LO POSSO COMPRARE - POSSO COMPRARLO

A. *Risponda, usando lo, la, li, le, o ne:*

Può comprare domani la pasta?

Sì, *la posso comprare.*

Sì, *posso comprarla.*

1. Può comprare la frutta stasera?

Sì, ______

Sì, ______

2. Vuole mangiare della frutta?

Sì, ______

Sì, ______

3. Vuole mangiare queste arance?

No, ______

No, ______

4. Può bere il succo?

Sì, ______

Sì, ______

5. Vuol prendere il caffè a casa?

No, ______

No, ______

6. Si può ordinare della carne?

Ma sì, ______

Ma sì, ______

7. Vogliono già cominciare la cena?

No, ________________________________

No, ________________________________

8. Debbono aspettare gli amici?

Sì, ________________________________

Sì, ________________________________

9. Possono mangiare ancora delle fragole?

No, ________________________________

No, ________________________________

10. Si deve pagare qui il conto?

Sì, ________________________________

Sì, ________________________________

B. *Risponda con mi — Le, gli — le, ci — loro:*

Vuol dirmi il Suo nome?

Sì, *Le voglio dire il mio nome.*

Sì, *voglio dirLe il mio nome.*

1. Può darmi il Suo indirizzo?

Sì, ________________________________

Sì, ________________________________

2. Posso darLe il mio passaporto?

Sì, ________________________________

Sì, ________________________________

3. Vuole consigliare un albergo a Paolo?

Sì, ________________________________

Sì, ________________________________

4. Vuol dire il nome dell'albergo a Maria?

   Sì, ____________________

   Sì, ____________________

5. Si deve mandare il conto a Loro, signori?

   Sì, ____________________

   Sì, ____________________

6. Possiamo parlare con i Suoi figli?

   Sì, ____________________

   Sì, ____________________

7. Si può lasciare questo biglietto alla mamma?

   Sì, ____________________

   Sì, ____________________

8. Si deve chiedere del denaro al papà? *

   Sì, ____________________

   Sì, ____________________

*La madre, il padre = la mamma, il papà

Esercizio 98

IL PRIMO DETTATO

Ascolti e scriva il dettato numero uno dal Suo nastro di dettati:

1. ______________________________

____

2. ______________________________

____

3. ______________________________

____

4. ______________________________

____

5. ______________________________

____

6. ______________________________

____

CAPITOLO 16-RICAPITOLAZIONE

Che cosa è?
È . . .
—un gioco
un intervallo
un letto
un orologio
automatico
da polso
da tasca

—uno sbaglio

—una porzione
una sveglia

Di che cosa è fatto?
È fatto . . .
—d'acciaio
di cotone
di lana
di legno

—d'oro
di plastica
di seta
di vetro

Verbi:
—amare
andarsene
(me ne vado)
continuare
desiderare
dormire

—durare
far presto
restare
sbagliare
svegliare

Com'è?
È . . .
—buono/a
migliore

Cammina . . .
—bene
meglio

Quanto ne vuole? . . .
—la metà

—due terzi (di . . .)
tre quarti (di . . .)

—mezzo (etto)
un terzo (di chilo)
un quarto (di litro)

L'orologio:
—Cammina bene / male.
Va avanti / indietro.
È giusto / sbagliato.

Che ora è?

—(1.00)	*È*	l'una.
(2.00)	*Sono*	le due.
(2.10)	*Sono*	le due e dieci.
(2.15)	*Sono*	le due e un quarto.
(2.30)	*Sono*	le due e mezzo.
(2.45)	*Sono*	le tre meno un quarto.
(2.50)	*Sono*	le tre meno dieci.
(12.00)	*È*	mezzogiorno.
(24.00)	*È*	mezzanotte.

A che ora . . . ?
All'una.
Alle due in punto.
precise

Quanto tempo . . . ?
Una lezione *dura* 45 minuti.
Io *resto* per un'ora.

Il treno *ci mette* un'ora per andare a Roma.
Ci vuole un'ora per andarci.

È puntuale il treno?
È . . .
—in orario
in ritardo
puntuale

Viene in anticipo.
Arriva (troppo) presto.
tardi

Quanto costa . . . ?
—Costa molto.
È (troppo) caro.

—Costa poco.
È a buon mercato.

Lo stesso:
Non sono stanco, ma vado a letto *lo stesso*.
Non vado in Germania, ma studio il tedesco *lo stesso*.

NASTRO NUMERO 16

FRANCO È STANCO

Persone: *Franco*
Lisa
Luogo: *In casa di Lisa*
Ore: *Ore venti*

(Si sente della musica. Franco sbadiglia.)

Franco — Ma, Lisa, che ore sono?

Lisa — Sono le otto, Franco. Un'altra sigaretta?

Franco — No, grazie, Lisa. È ora di andare . . . è ora di andare, per me.

Lisa — Ma Franco! È troppo presto! Sono le otto. Perchè vuol lasciarmi così presto?

Franco — Guardi, Lisa, sono stanco. Devo andare a letto.

Lisa — Come! Lei va a letto alle otto?

Franco — Lisa, domani devo lavorare. Vado presto, al lavoro.

Lisa — Ma sì, caro. Ma sì, ma sì. . . . A che ora si alza domani mattina?

Franco — Devo alzarmi alle sette.

Lisa — Oh, alle sette. Sa che per me è peggio?

Franco — Non capisco, perchè peggio?

Lisa — Peggio perchè devo alzarmi più presto di Lei. Non sa che io lavoro?

Franco — Ah, già! Anche Lei deve andare in ufficio.

Lisa — Eh già, anch'io devo andare in ufficio.

Franco — Non mi parli del lavoro, signorina.

Lisa — Ah! allora non Le piace lavorare?

Franco — Macchè! Mi piace lavorare, ma mi piace anche dormire. . . . Se non dormo otto ore, non sono buono a niente.

Lisa — Ah, è così? . . . Non è buono a niente? . . . Beh . . . , allora. . . .

(La musica non si sente più; l'orologio suona le otto.)

Franco — Che cosa dice? Che cosa ha detto?

Lisa — Ho detto, se deve andare, qui c'è il Suo cappello.

Franco — Oh, grazie.

Lisa — Prenda il cappello, caro. Buona notte.

(Franco prende il cappello, esce e chiude la porta.)

Lisa (sola) — Uffa!!! Quello là! Ora voglio andare a letto anch'io!

(Nastro numero 16)

Risponda, per favore!

1. È a casa sua Franco?
2. Dov'è?
3. Che cosa si sente?
4. Che ore sono?
5. Perchè Franco vuole andarsene?
6. Deve lavorare domani lui?
7. E Lisa?
8. Chi deve alzarsi più presto, Franco o Lisa?
9. Porta Lisa il cappello a Franco?
10. È stanca anche Lisa?

PIETRO VUOL BENE A MARIA

La signorina Maria è una bella ragazza, ma non è puntuale. No, questo no. Non è puntuale, non arriva in tempo.

L'orario dell'ufficio, per esempio, è dalle otto e mezzo alle cinque. Ma Maria alle otto e mezzo non è in ufficio. Arriva alle otto e quaranta o anche più tardi.

"Mi scusi del ritardo," dice al suo direttore, "mi dispiace tanto." Ma il giorno dopo, è la stessa cosa.

E con gli amici è peggio. Che cosa ha detto a Pietro? "Domani? Va bene, domani all'una. Davanti al ristorante 'Puccini.' Va bene, facciamo colazione insieme."

Adesso è l'una. Ecco Pietro davanti al ristorante, con una dozzina* di rose rosse in mano. Con il suo vestito più elegante, con la cravatta nuova. E che cosa fa? . . . Aspetta.

Aspetta l'una e un quarto, e all'una e mezzo continua ad aspettare. Non guarda nemmeno l'orologio. Pietro vuol bene a Maria. . . .

Finalmente alle due meno cinque la signorina arriva. Bella, vivace, allegra. "Ciao, Pietro!" dice. "Ho una fame!. . . Sono gia le due!!. . . Non è un po' tardi far colazione alle due? . . . Perchè mangiamo così tardi? . . ."

Pietro non dice niente, non guarda il suo orologio, e le dà le rose. . . .

Egli vuole molto bene a Maria.

Risponda, per favore!

1. Con chi vuole far colazione Pietro?
2. Davanti a quale ristorante aspetta?
3. A che ora vuole far colazione lui?
4. Che vestito porta oggi?
5. Che cosa ha in mano?
6. È puntuale Maria?
7. Arriva puntualmente in ufficio la signorina?
8. Quanto tempo deve aspettare Pietro?
9. È molto paziente lui?
10. Perchè Pietro non dice niente a Maria?

*una dozzina = 12

Esercizio 99

<table>
<tr><td colspan="3">Per favore, . . .</td><td rowspan="2">parli
entri
esca
venga
apra
chiuda
sia
abbia</td></tr>
<tr><td>Io voglio
Lei vuole</td><td>che</td><td>Lei
Paolo
io</td></tr>
</table>

Esempio: Maria dice: "Paolo, chiuda la finestra!"

Maria vuole che Paolo chiuda la finestra.

1. Io dico: "Pietro, mi telefoni stasera!"

___

2. Il direttore dice: "Signorina, scriva la lettera!"

___

3. Lei mi dice: "Non venga domani!"

___

4. Io Le dico: "Non dimentichi la chiave, signore!"

___

5. Lei mi dice: "Parli italiano, per favore!"

___

6. Il professore Le dice: "Faccia quest'esercizio! "

___

7. Il Sig. Pieri dice al ragazzo: "Vada via!"

___

8. Io dico al cameriere: "Aspetti un momento!"

___

9. Il cameriere mi dice: "Guardi il menù!"

___

10. Lei dice al cameriere: "Mi porti un bicchiere di vino!"

___

Esercizio 100

MARIA E PIETRO

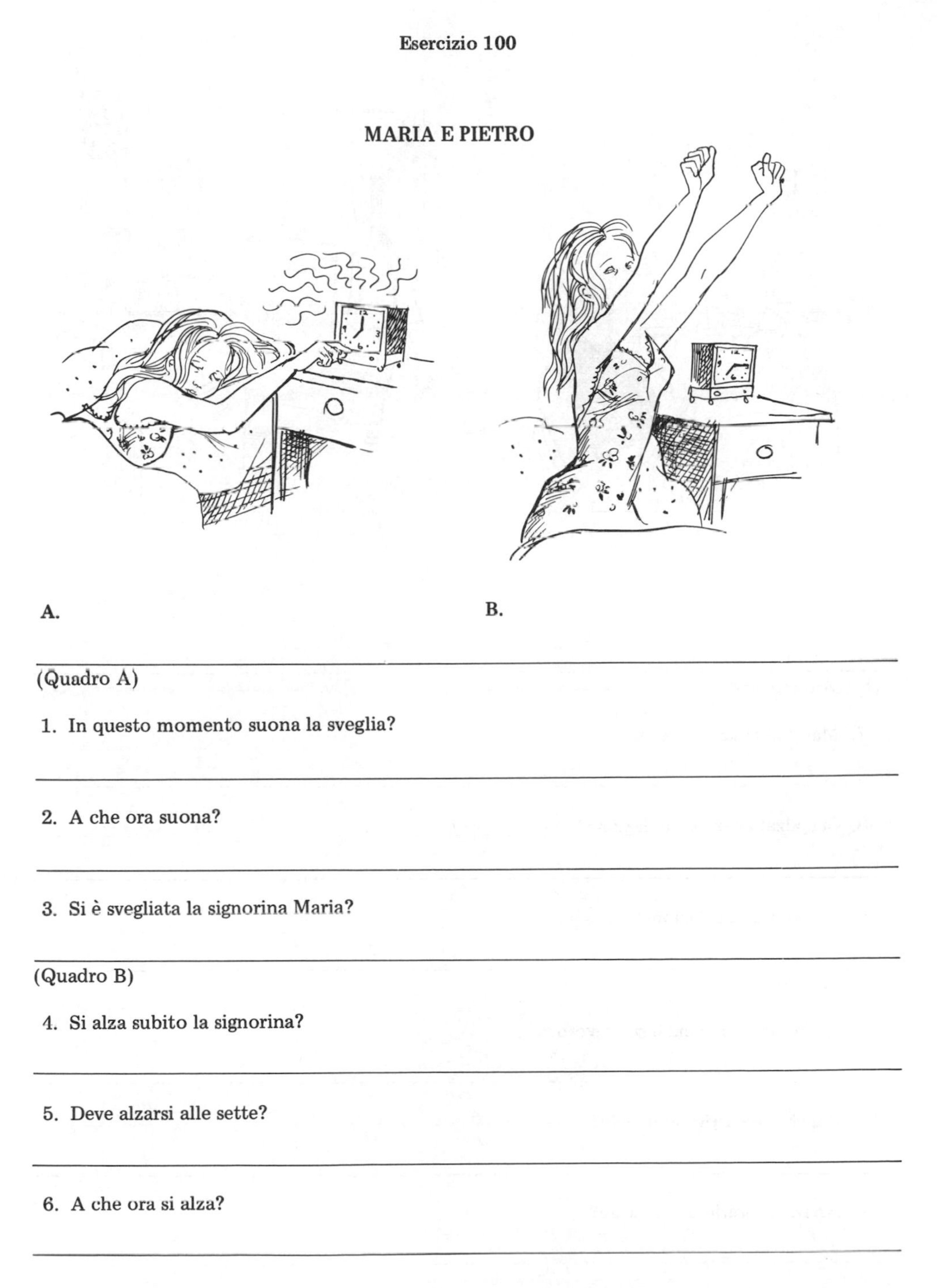

A. B.

(Quadro A)

1. In questo momento suona la sveglia?

---

2. A che ora suona?

---

3. Si è svegliata la signorina Maria?

(Quadro B)

4. Si alza subito la signorina?

---

5. Deve alzarsi alle sette?

---

6. A che ora si alza?

C.

D.

(Quadro C)

7. Maria fa colazione a letto?

---

8. Si è alzata per fare colazione?

---

9. A che ora fa colazione?

(Quadro D)

10. A che ora comincia il suo lavoro?

---

11. E a che ora arriva in ufficio?

---

12. Arriva in orario o in ritardo?

E.

F.

(Quadro E)

13. Che cosa ha in mano Pietro, dei cioccolatini o dei fiori?

---

14. Chi aspetta, il direttore di Maria o Maria?

(Quadro F)

15. Che ore sono?

---

16. Quanti minuti ci sono in un mezz'ora?

---

17. Pietro ha aspettato più o meno di trenta minuti?

---

18. Le dà i fiori lo stesso?

G.

H.

(Quadro G)

19. Arriva il tram alle due meno un quarto?

20. A che ora sale sul tram la signorina?

21. Dove va il tram?

(Quadro H)

22. A che ora apre la banca?

23. Resta aperta per otto ore?

24. Si può entrare in banca dopo le tre?

Esercizio 101

DI CHE COSA È FATTO . . . ?

A. *Di che cosa è fatto . . . ?*

L'orologio da polso è (fatto) d'oro.
Il tavolo è fatto di legno.
Il telefono è fatto di plastica.
Il vestito è fatto di lana.
La cravatta è fatta di seta.
La camicia è fatta di cotone.

Chiuda il libro e ripeta queste sei frasi!

CI VUOLE - CI VOGLIONO

Ci vuole un dollaro per comprare una cravatta di seta.
Ci vogliono 1400 lire per comprare la stessa cravatta in Italia.

B. *Nelle frasi seguenti metta "ci vuole" o "ci vogliono":*

1. Ci ________________ un metro di seta per due cravatte.
2. Ci ________________ due metri e mezzo di cotone per fare una camicia.
3. Ci ________________ molto denaro per comprare una Fiat?
4. Ci ________________ un milione di lire.
5. Ci ________________ due o tre ragazzi o ci ________________ un uomo molto forte per portare quei pacchi?
6. Ci ________________ due ore o più per andare a Napoli?

Esercizio 102

OGGI SÌ - IERI NO

Oggi sto a casa, ma ieri non *sono stato a casa.*

1. Oggi ci metto un'ora per tornare a casa,

   ma ieri non ____________________

2. Oggi vado a letto alle otto,

   ma ieri non ____________________

3. Oggi dormo dieci ore,

   ma ieri non ____________________

4. Oggi resto a letto quando sento la sveglia,

   ma ieri non ____________________

5. Oggi mi alzo molto tardi,

   ma ieri non ____________________

6. Oggi rimango a casa fino a mezzogiorno,

   ma ieri non ____________________

Esercizio 103

IL SECONDO DETTATO

Ascolti e scriva il dettato numero due dal Suo nastro di dettati:

1. ______________________________

____

2. ______________________________

____

3. ______________________________

____

4. ______________________________

____

5. ______________________________

____

6. ______________________________

____

CAPITOLO 17-RICAPITOLAZIONE

Che cosa è?
È . . .
—il sole
il cielo
l'estate

Sono dei monti:
—le Alpi
gli Appennini

Sono degli occhiali da sole.

È . . .
—l'elettricità
la luna

—una lampadina

Sono le stelle.

Verbi:
—accendere
cucinare
fare la spesa
far pulizia
preparare
spegnere
stirare
tramontare

—cambiarsi
divertirsi
lavarsi
pulirsi
spogliarsi
togliersi
vestirsi

Far fare:

—Io mi faccio . . . Si fa Lei . . . ? Ci facciamo . . . ! Dove si può farsi . . . ?	lavare la camicia lavare a secco un vestito stirare i pantaloni pulire le scarpe

Nel bagno:
—le mani sono sporche
non sono pulite
—fare il bagno / la doccia

—lavarsi la faccia
con sapone
con acqua calda / fredda
—le mani sono bagnate
asciutte

La luce:
C'è abbastanza luce per leggere.
C'è la luce elettrica.
C'è una candela.
C'è del gas.

La luce è forte / debole.

È buio / chiaro.

Dov'è . . . ?
È . . .
—ad est
ad ovest
a nord
a sud

Sempre / non . . . mai
Il sole . . .
—tramonta *sempre* all'ovest
—*non* tramonta *mai* all'est

Quando va all'ufficio?
Ci vado *ogni* giorno.
settimana

Espressione:
—"Buon divertimento!"

NASTRO NUMERO 17

NON C'È LUCE IN CASA.

Persone: *Il signor Albonico*
La sua donna di servizio, Rosina
Luogo: *In casa del signor Albonico*
Ore: *Ore otto di sera*

(Il signor Albonico torna a casa dopo una lunga giornata di lavoro. Tutto è buio.)

Albonico — Ma che c'è? Luce! Luce! Luce, per piacere! . . . Rosina! Perchè non viene? Rosina! Perchè non c'è luce?

Rosina (da lontano) — Vengo, signore, vengo, vengo!

Albonico — Rosina!

Rosina — Sissignore, sissignore. Ora vengo . . . eccomi.

Albonico — Perchè non c'è luce! Perchè non si accende? Non si vede niente in questa casa!

Rosina — Scusi, signore, non c'è corrente.

Albonico — Perchè non ha telefonato, Rosina?

Rosina — Ma ho telefonato a quelli della luce.

Albonico — Senta, Rosina!

Rosina — Sissignore.

Albonico — Senta, non ho molto tempo. Voglio uscire questa sera. Devo lavarmi un po'. E subito.

Rosina — Certo, può lavarsi, naturalmente. Allora Le do questa candela. Ha un fiammifero?

Albonico — Si, subito. . . . Ecco! *(La candela si accende.)* Ecco, grazie. Allora, con questa candela posso farmi anche il bagno, no?

Rosina — Ah, il bagno no, mi dispiace. Non c'è acqua.

Albonico — Come! Non c'è acqua?

Rosina — Non c'è acqua calda, signore.

Albonico — Ma perchè non ce n'è?

Rosina — Perchè ho lavato tante camicie, signore. Ho lavato dieci camicie per Lei, signore.

Albonico — Allora mi porti una camicia!

Rosina — Ahimè, signore! Mi dispiace, mi dispiace tanto, ma le camicie non sono state stirate. Non sono ancora stirate.

Albonico — Non c'è nemmeno una camicia stirata?

Rosina — Nossignore.

Albonico — Allora non posso uscire!. . . Ma perchè non mi stira nemmeno una camicia?

Rosina — Ma come posso, signore? Se non c'è luce, non c'è corrente.*

(Nastro numero 17)

*corrente = electricità

PERCHÈ NON HA MAI TEMPO PER ME?

Persone: *Pietro*
Maria
Luogo: *Alla fermata dell'autobus*

Pietro — Arrivederla, Maria. Mi dica, quando ci rivediamo?

Maria — Non so, io. . . .

Pietro — Se vuole, domani mattina; La porto in ufficio in macchina. . . . Posso prendere quella di mio padre.

Maria — Ma domani mattina non deve andare all'Università?

Pietro — Già, è vero. . . . Allora, domani a mezzogiorno, come oggi?

Maria — A mezzogiorno domani? Non posso, ho un appuntamento dal parrucchiere.

Pietro — Ah, sì? Posso aspettarLa davanti al negozio?

Maria — Veramente non so quanto tempo ci vuole.

Pietro — Allora, domani sera?

Maria — No, Pietro. Mi dispiace. Domani sera non possiamo vederci.

Pietro — Perchè no?

Maria — Non posso, non va. . . . La mamma aspetta una mia lettera. È tanto tempo che non le scrivo. . . .

Pietro — E non può. . . .

Maria — No, Pietro, veramente no.

Pietro — Domani è mercoledì. Allora, giovedì.

Maria — Senta, Pietro, giovedì vado all'Opera.

Pietro — All'Opera? A mezzogiorno?

Maria — Mi dispiace, Pietro.

Pietro — Ho capito. Nemmeno a mezzogiorno. E con chi va all'Opera?

Maria — Oh, Pietro! . . . Ecco il mio autobus! Lei ha il mio nuovo indirizzo, no?

Pietro — No, Maria. Non ce l'ho. E non mi ha dato nemmeno il Suo nuovo numero di telefono.

(L'autobus si ferma.)

Maria — Ecco l'autobus. Perchè non viene con me?

Pietro — Ma Lei sa che devo correre in banca. Sono già le tre meno cinque!

Maria — Oh, Pietro! Perchè non ha mai tempo per me?

SPEGNERE/ACCENDERE; METTERSI/TOGLIERSI

A. Ecco la lampada!

Io l'accendo perchè qui dentro è buio.
Poi, dopo, la spengo perchè voglio uscire.
Quando esco non lascio la lampada accesa.

Esercizio. *Ripeta queste frasi senza leggerle:*

Che buon sigaro! Mi piace il suo profumo. Lei l'ha acceso, ne ha fumato la metà, ma adesso il sigaro si è spento. Lei vuol continuare a fumarlo, perciò lo riaccende. Lei spegne il fiammifero.

Esercizio. *Ripeta queste frasi:*

Spegnere			*Accendere*		
spengo	—	spegne	accendo	—	accende
spegniamo	—	spengono	accendiamo	—	accendono
spenga	—	spengano	accenda	—	accendano
ha spento			ha acceso		

B. Esercizio. *Formi delle frasi utilizzando questi verbi:*

<table>
<tr><td>Ecco un bel vestito!

Io mi metto il vestito.
Io mi metto il cappello.
Io mi vesto.</td><td>Che bel cappello!

Lei si toglie il cappello.

Lei si toglie il vestito.

Lei si spoglia.</td></tr>
<tr><td>vestirsi</td><td>spogliarsi</td></tr>
<tr><td>mettersi
mi metto — si mette
ci mettiamo — si mettono
mi sono messo/a
ci siamo messi/e</td><td>togliersi
mi tolgo — si toglie
ci togliamo — si tolgono
mi sono tolto/a
ci siamo tolti/e</td></tr>
</table>

Esercizio 104

ALZARSI (PRESENTE/PASSATO)

> La ragazza **si alza** alle cinque.
> La ragazza **si è alzata** alle cinque.

Scriva delle frasi complete, usando il passato del verbo:

1. I miei genitori **si svegliano** prima di me.

 ____

2. Poi, dopo di loro, **si svegliano** le mie sorelle.

 ____

3. La mia famiglia **si alza** presto. Noi tutti **ci alziamo** presto.

 ____

4. Poi tutti **vanno** in bagno. **Si lavano** subito perchè è tardi.

 ____

5. Ma le mie sorelle **si vestono** molto lentamente.

 ____

6. Io, al contrario, **mi lavo** in due minuti e **mi vesto** subito.

 ____

7. Le mie sorelle **si divertono** a tavola, ma io non **mi diverto** con loro.

 ____

8. Finalmente, dopo colazione, **ci alziamo** ed **usciamo.**

 ____

Esercizio 105

VERBI AL FUTURO

Infinito	io . . .	Lei . . .	noi . . .	Loro . . .
avere essere potere lavare mettere pulire	avrò sarò potrò laverò metterò pulirò	avrà sarà potrà laverà metterà pulirà	avremo saremo potremo laveremo metteremo puliremo	avranno saranno potranno laveranno metteranno puliranno
	—ò	—à	—emo	—anno

Oggi: non posso andare, venire, mangiare, bere, stare
Domani: andrò, verrò, mangerò, berrò, starò

Oggi Carlo **viene** a casa alle sei.
Domani Carlo **verrà** a casa alle sei.

1. Carlo apre la porta e accende la luce.

   Domani ____________________

2. Lei va nel bagno a lavarsi.

   Domani ____________________

3. Si lava le mani.

   Domani ____________________

4. Si toglie i vestiti da lavoro.

   Domani ____________________

5. Si mette un vestito elegante.

   Domani ______________________________

6. Spegne la luce ed esce; va a cena fuori.

   Anche domani ______________________________

7. La sua cena comincia con la minestra; beve un quarto di vino.

   Anche domani ______________________________

8. Non ha molta fame e non mangia nè carne nè pesce.

   Domani ______________________________

9. Finisce la cena con un po' di frutta.

   Domani ______________________________

10. Poi ritorna a casa e va a letto subito.

   Poi ______________________________

Esercizio. *Dire quello che farà Carlo domani sera quando tornerà a casa.*

Esercizio 106

Completi lo specchietto:

Infinito	*io*	*Lei*	*noi*	*Loro*
svegliarsi	________	________	________	________
________	mi alzerò	________	________	________
________	________	si pulirà	________	________
________	________	________	ci vestiremo	________
________	________	________	________	si metteranno

Esercizio 107

IL CONTRARIO

Il contrario di grande è piccolo.

Come si scrive il contrario di . . . ?

lungo ______________________

lontano ______________________

nuovo ______________________

buono ______________________

male ______________________

migliore ______________________

peggio ______________________

presto ______________________

differente ______________________

molto ______________________

pochi ______________________

buio ______________________

accendere ______________________

spento ______________________

tramontare ______________________

est ______________________

sud ______________________

pulire ______________________

sporco ______________________

togliere ______________________

mettersi ______________________

cominciare ______________________

rispondere ______________________

domanda ______________________

entrare ______________________

uscita ______________________

scendere ______________________

salito ______________________

qualche cosa ______________________

nessuno ______________________

una parte ______________________

meno ______________________

l'ultimo ______________________

i primi ______________________

sempre ______________________

Esercizio 108

IL TERZO DETTATO

Ascolti e scriva il dettato numero tre dal Suo nastro di dettati:

1. ______________________________

____

2. ______________________________

____

3. ______________________________

____

4. ______________________________

____

5. ______________________________

____

CAPITOLO 18-RICAPITOLAZIONE

Che cosa è?
È . . .
—un albero di Natale
un giorno
di lavoro
feriale
di riposo
festivo
un lago
un mare
un monte
il Monte Bianco
il Monte Rosa
un presepio
un regalo

—l'anno scolastico

Sono . . .
—le ferie
le vacanze

Verbi:
—andare in villeggiatura
fare lo sci
lo sci d'acqua
un'escursione
una gita
festeggiare
nuotare
passare
regalare
riposare
sciare

Le quattro stagioni:
—la primavera
l'estate
—l'autunno
l'inverno

Giorni festivi:
le feste religiose . . .
—Natale
Pasqua

—il Capodanno
il compleanno
il Ferragosto
la festa nazionale
del lavoro

Quando . . . ?
—qualche volta
dopodomani
prima
l'altroieri
la settimana scorsa
il mese scorso
due giorni *fa*

Quanti anni ha . . . ?
Ha . . . anni.
È vecchio/a.
È giovane.

Come va Lei in Italia?
Ci vado . . .
—in gruppo
in comitiva

Espressioni:
—"Buon Anno!"
"Buon Natale!"
"Tanti auguri!"
"Le auguro da parte di . . . !"

NASTRO NUMERO 18

A LUI PIACE LA MONTAGNA, MA NOI ANDREMO IN RIVIERA

Persone: *La signorina Negroni*
Una sua amica, la signora Malatesta

Negroni — Buongiorno, signora Malatesta!

Malatesta — Buongiorno, signorina. Come sta?

Negroni — Bene, grazie. E Lei, signora? E Suo marito?

Malatesta — Bene, grazie, anche lui sta bene.

Negroni — Siamo già in maggio, signora, ed io voglio prendere le mie ferie* in giugno.

Malatesta — Per noi, giugno è troppo presto.

Negroni — Capisco, signora. Dove andranno quest'anno?

Malatesta — Io e mio marito? Andremo in Riviera.

Negroni — Ma, signora! Suo marito mi ha detto che preferisce le Alpi!

Malatesta — Le ha detto le Alpi? Hum, lo so, lo so.

Negroni — Mi ha detto che vuole andare in alta montagna!

Malatesta — Già, lo so. Ma a me non piace. Fa freddo in montagna, cara signorina, ed io ho bisogno di tanto caldo.

Negroni — Ma le Alpi sono belle, signora, in inverno e in estate. E poi non è vero che fa tanto freddo.

Malatesta — Ma io ho bisogno del mare, della spiaggia, del sole. . . . Voglio prendere il sole . . . molto sole. . . .

Negroni — Ma, signora, Suo marito mi ha detto che vuol fare delle escursioni sul Monte Rosa, ogni giorno.

Malatesta — Sul Monte Rosa! Ogni giorno! Signorina, no, questo non va per me. Io voglio riposare. Devo dormire molto.

Negroni — Ma lui mi ha detto . . . !

Malatesta — Senta, signorina, mio marito parla sempre così. Però il mare fa molto bene anche a lui. E potrà fare i bagni ogni giorno.

Negroni — Ah, così, non andranno in montagna?

Malatesta — Certo che no! Andremo al mare. Andremo in Riviera! È molto, molto meglio della montagna, sa?

Risponda, per favore!

1. Di che cosa parlano le due signore?
2. In quale mese siamo?
3. In quale mese vuole prendere le sue ferie la signorina Negroni?
4. Anche i Malatesta prenderanno le loro ferie così presto?
5. Dove vuole andare la signora Malatesta?
6. Che cosa preferisce il signor Malatesta, la Riviera o le Alpi?
7. Dove vuol fare delle escursioni il signor Malatesta?
8. Perchè la signora Malatesta non vuole andare in alta montagna?
9. Che cosa vuol fare la signora Malatesta, riposarsi o fare delle escursioni?
10. Dove andranno i Malatesta quest'anno?

*ferie = vacanze

LA SIGNORINA NEGRONI FA LA VALIGIA

(La signorina Negroni è in casa. Fa la valigia.
Arriva la signora Malatesta, sua amica.)

Negroni — Buongiorno, signora. Che piacere vederLa!

Malatesta — Fa la valigia? Parte già?

Negroni — Ma sì, vado a Rimini. Per una settimana. Partirò domani.

Malatesta — E porta tanta roba? Per una settimana?

Negroni — Non è meglio portare troppo che troppo poco?

Malatesta — Beh . . . non so. Le posso dare una mano?

Negroni — Grazie, sì, se vuole. Allora mi dia quel sapone, per piacere!

Malatesta — Sapone! Perchè si porta il sapone? Il sapone c'è sempre in albergo!

Negroni — Mah . . . non so. E se non c'è sapone, come faccio? Ecco grazie, signora. Poi gli asciugamani. Ce ne sono tre su quella sedia.

Malatesta — Ma perchè gli asciugamani? Non ce n'è bisogno!

Negroni — Lo dice Lei, signora. No, no, mi dia gli asciugamani. Tutti e tre!

Malatesta — Ma ci sono asciugamani in tutte le camere, negli alberghi e nelle pensioni di Rimini.

Negroni — Davvero? Allora ne lascio qui uno, ma mi dia gli altri due.

Malatesta — Va bene. E poi?

Negroni — Poi le scarpe. E questo è tutto.

Malatesta — Sei paia di scarpe. Per una settimana?

Negroni — Ma sì, signora. E poi abbiamo finito. Non è stanca anche Lei dopo questo lavoro? Mille grazie, cara signora.

Malatesta — Non c'è di che. Buon viaggio! E buon divertimento!

(Due giorni dopo, la signora riceve una cartolina illustrata dalla signorina Negroni.)

Rimini, 8 giugno 1984

Carissima signora:
Ho trovato una bellissima camera. Qui c'è tutto: sapone, asciugamani..... Le posso raccomandare questo albergo. Sa che ho dimenticato i miei vestiti? Ma ci sono dei negozi elegantissimi, a Rimini.
Molti saluti.

Sua
Maria Negroni

Sig.ra
S. Malatesta
Via Bari 44
00161 Roma

LE QUATTRO STAGIONI

A. Le quattro stagioni

In primavera	si va in campagna	a fare delle passeggiate
estate	al mare	fare i bagni
	alla spiaggia	prendere il sole
autunno	sui monti	fare delle escursioni
inverno	in montagna	sciare

B. Una barzelletta*

Signora — Chi è quel ragazzino?
Bambina — È mio fratello, signora.
Signora — Sa nuotare bene!
Bambina — Sissignora.
Signora — Dove ha imparato?
Bambina — In acqua, signora.

***L'allievo non capisce la parola "barzelletta"? Legga questo dialogo e poi lo capirà.**

Esercizio 109

Ora e Prima

	io	Lei	noi	Loro
essere	*ero*	*era*	*eravamo*	*erano*
avere	*avevo*	*aveva*	*avevamo*	*avevano*
andare	*andavo*	*andava*	*andavamo*	*andavano*
parlare	*parlavo*	*parlava*	*parlavamo*	*parlavano*
sapere	*sapevo*	*sapeva*	*sapevamo*	*sapevano*
finire	*finivo*	*finiva*	*finivamo*	*finivano*

Completi queste frasi all'imperfetto:

Esempio: Ora Maria lavora per una ditta molto grande.

Prima *lavorava* per una piccola ditta.

1. Ora lei ha un buon posto.

   Prima ____________________ un posto meno buono.

2. Adesso è segretaria.

   Prima ____________________ dattilografa.

3. Adesso va a pranzare in un ristorante.

   Prima ____________________ a casa sua.

4. Ora Maria guadagna abbastanza.

   Prima ____________________ poco.

5. Adesso passa le vacanze al mare.

   Prima ____________________ le vacanze in città.

Esercizio 110

L'ITALIA E GLI ITALIANI

Risponda con frasi complete:

1. Dove sono i grandi laghi italiani, nelle Alpi o negli Appennini?

___

2. Come si chiama il grande lago fra il Lago Maggiore e il Lago di Garda?

___

3. Rimini è più lontana da Bologna o da Palermo?

___

4. Dove c'è un'antica* Università, a Bologna o a Rimini?

___

5. Dov'è Palermo, in Sicilia o in Calabria?

___

6. Dov'è il Vesuvio, vicino a Napoli o vicino a Catania?

___

7. In quale stagione molti italiani vanno in Riviera?

___

8. *L'ultima cena*, il capolavoro† di Leonardo, è a Roma, a Firenze, o a Milano?

___

9. In Italia si possono comprare fiammiferi e sigarette negli alberghi e nei ristoranti?

___

10. L'Italia fa parte del Mercato Comune?

___

11. Che cosa vuol dire FIAT?

___

*antico = vecchio   †capolavoro = lavoro eccezionale

Esercizio 111

IL QUARTO DETTATO

Ascolti e scriva il dettato numero quattro dal Suo nastro di dettati:

1. ______________________________

____

2. ______________________________

____

3. ______________________________

____

4. ______________________________

____

5. ______________________________

____

CAPITOLO 19-RICAPITOLAZIONE

Che cosa è?
È . . .
—un ombrello
un termometro
un termosifone

—del ghiaccio

—l'aria condizionata
la temperatura massima / minima
una limonata
una medicina antireumatica

Verbi:
—cadere
(la neve, la pioggia)
coprire
indossare
portare (un ombrello con sè)
riscaldare

Che tempo fa?
Fa (relativamente) caldo / freddo.

—Si sta bene / male.
C'è vento.

—Il cielo è sereno.
è grigio
è coperto di nuvole
Comincia a piovere.
Sta piovendo.
Piove poco / più forte.

La temperatura sale / scende.
Sono 5 gradi sotto zero.

Comincia a nevicare.
Sta nevicando.

Pioverà domani?
Non è certo.
Forse sì, forse no!
Forse pioverà, forse farà bel tempo!

Come sta Lei?
Sto male:
—*Ho* caldo / freddo.

—Sono raffreddato.
Ho preso un raffreddore.

Quali vestiti porta?
Porto . . .
—vestiti pesanti / leggeri
un impermeabile
delle soprascarpe

. . . , altrimenti . . .
Mi metto l'impermeabile, *altrimenti* mi bagno.

Mangia sempre a casa?
No, non sempre, ma *di solito* mangio a casa.

Quando va al cinema?
Ci vado . . .
—raramente / spesso

Si può parcheggiare qui?
Sì, si può parcheggiare qui.
No, è vietato parcheggiare qui.

Com'è . . . ?
È . . .
—difficile
facile

—caldo
freddo

Espressioni:
—"Che bel tempo!"
"Che brutto tempo!"
"Che tempaccio!"
"Che vento!"
"Che brutto vento!"
"Che ventaccio!"

NASTRO NUMERO 19

IL TEMPO E LE QUATTRO STAGIONI

A. Il tempo e le quattro stagioni

Com'è il tempo oggi?

In primavera:	C'è vento e il cielo è coperto (nuvoloso), ma non piove.
In estate:	È una giornata magnifica. Non fa nè freddo nè troppo caldo, e non si vede una nuvola in cielo.
In autunno:	Stamattina è piovuto molto, ma ora c'è il sole.
In inverno:	Abbiamo cinque gradi sotto zero. Fa freddo ed ha nevicato tutta la notte.

B. Domande sul tempo

Risponda oralmente!

1. Quanti gradi ci sono oggi?
2. Fa fresco oggi?
3. Che cosa devo mettermi?
4. Ci vuole l'ombrello oggi?
5. Perchè non si porta nemmeno l'impermeabile?
6. Hanno avuto una bella primavera?
7. Fa troppo caldo per Lei qui dentro?
8. Ha i piedi freddi?
9. Ha le scarpe bagnate o asciutte?
10. Perchè non si cambia le scarpe?
11. Vuole che accenda il termosifone?
12. Come mai ha preso questo raffreddore?

Esercizio. *Fare delle domande sul tempo.*

Esercizio 112

LE SCARPE BAGNATE

Guardi i quadri e risponda alle domande:

(Illus. A)

1. Vede il ragazzo in questa illustrazione?

____

2. Guardi le sue scarpe! Che cosa fa?

____

3. Ha le scarpe asciutte?

4. Sono già bagnate le sue scarpe?

(Illus. B)

5. È uscito in strada?

6. Sono ancora asciutte le sue scarpe?

7. Piove molto o poco?

8. Si bagnano subito le scarpe, quando piove così forte?

(Illus. C)

9. È ancora fuori il ragazzo?

10. È caldo in questa stanza?

11. Quale scarpa si mette, quella destra o quella sinistra?

12. Dov'è l'altra scarpa?

Esercizio 113

IL TERMOMETRO

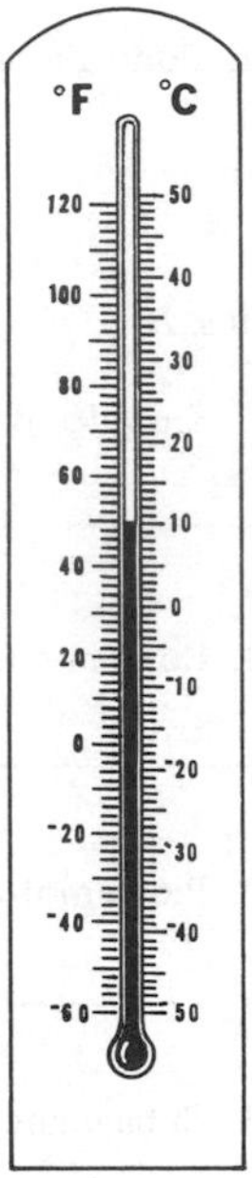

Guardi il quadro e risponda alle domande:

A. Il termometro

Zero gradi centigradi sono trentadue gradi Fahrenheit.

1. E dieci gradi centigradi?

____

2. Fa freddo quando la temperatura è sotto zero?

____

3. Fa freddo quando abbiamo diciotto gradi sopra zero?

____

4. Quanti gradi ci sono oggi?

____

5. Ci vuole l'aria condizionata quando fa fresco fuori?

____

6. Stamattina faceva fresco. Adesso si sta bene. Il termometro è salito o è sceso?

____

B. Vocabolario sul tempo

Parli del tempo (oggi, ieri, l'anno passato, ecc.):

freddo — il freddo; fa freddo; ho freddo;
il raffreddore; prendere un raffreddore; raffreddarsi; mi sono raffreddato.

caldo — il caldo; c'è un gran caldo; riscaldarsi le mani; il riscaldamento (centrale/a nafta)

l'aria — aria condizionata; accendere o
spegnere l'aria condizionata

il vento — c'è vento; venti forti, deboli; un ventaccio.

la pioggia — piovere; piove; è piovuto; pioverà

la neve — nevicare; nevica; è nevicato; nevicherà

Esercizio 114

IERI - OGGI - DOMANI

A.

Ieri è nevicato. Oggi nevica. Domani nevicherà.

1. Ieri è piovuto.

   Oggi ________________. Domani ________________

2. Ieri ero raffreddato, ma sono uscito lo stesso.

   Oggi ________________

   Domani ________________

3. Ieri faceva freddo fuori, ma dentro si stava bene.

   Oggi ________________

   Domani ________________

4. Ieri, con quel tempaccio, ________________

   Oggi, con questo tempaccio, metto il cappotto pesante.

   Domani, con questo tempaccio, ________________

B. *Di solito . . .* (spesso, sempre, *ecc.*) — *Adesso . . .* (ora, in questo momento, *ecc.*)

io parlo italiano.
Lei legge questa rivista.
noi partiamo alle due.

*io sto parl***ando** *italiano.*
*Lei sta legg***endo** *questa rivista.*
*noi stiamo part***endo.**

*and***are,** *parl***are,** *ecc.*
*ved***ere,** *ten***ere,** *ecc.*
*dorm***ire,** *fin***ire,** *ecc.*

*and***ando,** *parl***ando,** *ecc.*
*ved***endo,** *ten***endo,** *ecc.*
*dorm***endo,** *fin***endo,** *ecc.*

Esempio: Di solito non piove molto, *ma in questo momento sta piovendo.*

1. Di solito io non leggo molto, ______________________________

2. Di solito Loro non fumano, ______________________________

3. Di solito non beviamo in classe, ______________________________

4. Beviamo whisky raramente, ______________________________

5. Di solito non gioca a carte, ______________________________

6. Paolo studia raramente, ______________________________

7. Di solito non discutono la politica, ______________________________

8. Raramente lavoro nel giardino, ______________________________

9. Di solito Lei non canta, ______________________________

10. Di solito non aspettiamo il postino, ______________________________

QUESTE VALIGE SONO TROPPO PESANTI!

Persone: *Il signor Di Bella*
Il signor Laterza
Luogo: *Sul rapido Roma—Firenze—Bologna—Verona—Brennero—Monaco di Baviera*

Di Bella — Scusi, c'è posto qui?

Laterza — Come no? Questo posto è libero.

Di Bella — Ci posso mettere le mie valige?

Laterza — Le Sue valige? Veramente non so. Non sono troppo pesanti?

Di Bella — Troppo pesanti? Ma no, vanno benissimo.

Laterza — Se lo dice Lei! Ma, per piacere, non le metta proprio qui sopra di me! Non voglio che mi cadano in testa.

Di Bella — D'accordo, d'accordo! Le lascerò qui nel corridoio, va bene?

Laterza — Grazie!

(Il signor Di Bella si siede, apre il giornale e comincia a leggerlo.)

Di Bella — Oh! Questi treni! Non si può leggere. . . . Ma perchè fa questa faccia? Le dispiace che legga?

Laterza — Oh no, caro signore, non è per questo. È che io voglio leggere il mio libro.

Di Bella — E perchè non lo legge?

Laterza — Perchè il Suo giornale è sulla mia faccia, ecco perchè.

Di Bella — E va bene, va bene, mi scusi!

Laterza — Prego.

(Il treno si ferma.)

Di Bella — Perchè si ferma? È una stazione?

Laterza — No.

Di Bella — E questo è un rapido!? È meglio viaggiare in macchina.

Laterza — Io preferisco il treno. Si viaggia molto meglio che in auto.

Di Bella — Ma non vede com'è lento questo treno? Con la mia Alfa Sport vado da Roma a Firenze in meno di tre ore . . . però certo non è una macchina per tutti.

Laterza — Forse. Ma allora, perchè ha preso il treno? E perchè, poi, viaggia in seconda?

Di Bella — Come? Non è la prima, questa? E adesso come faccio? Ho il biglietto di prima classe e sto qui in seconda!

Laterza — Prenda le Sue valige e vada in prima!

Di Bella — Ma come faccio? Sono troppo pesanti! L'ha detto Lei stesso che sono troppo pesanti.

Risponda, per favore!

1. Su quale treno sono questi due signori?
2. In quale classe sono?
3. Quale biglietto ha il signor Di Bella?
4. C'è posto per lui?
5. Dove mette le sue valige il signor Di Bella?
6. Il signor Di Bella può leggere il suo giornale?
7. Che cosa vuol leggere il signor Laterza?
8. Perchè non può leggerlo?
9. Quale macchina ha il signor Di Bella?
10. Quanto tempo ci si mette per andare da Roma a Firenze?

Esercizio 115

IL QUINTO DETTATO

Ascolti e scriva il dettato numero cinque dal Suo nastro di dettati:

1. ____

2. ____

3. ____

4. ____

5. ____

6. ____

CAPITOLO 20-RICAPITOLAZIONE

Che cosa è?
È . . .
—un altoparlante
un documento
uno sportello

—un'autorimessa
una conversazione
una pensione
una tassa

—la biancheria
la filovia

Chi è . . . ?
È . . .
—il facchino
un vigile

Verbi:
—controllare
criticare
fare acquisti
firmare

—noleggiare
(prendere a noleggio)
prenotare
sviluppare

Di che cosa parliamo?
Parliamo . . .
—dell' educazione
della geografia
della politica, *ecc.*

In albergo:
Vorrei . . .
—una camera con bagno
con doccia
con pensione
una camera singola
matrimoniale

Che cosa c'è nel passaporto?
Ci sono i particolari riguardanti
una persona:
—il cognome
il nome
l'indirizzo
la nazionalità

—la professione
la data di nascita
il luogo di nascita

Passatempi:
—i giochi
gli sports
lo studio delle lingue, *ecc.*

Un viaggio
prendere . . .
—il treno rapido per Roma
il treno diretto per Roma

avere posti prenotati

comprare un biglietto . . .
—di 1ª classe
di 2ª classe

—semplice
di andata e ritorno

—"Due di seconda andata e ritorno
per Roma."

Alla stazione di servizio:
—fare il pieno
controllare l'olio
l'acqua
le ruote

—"Faccia il pieno, per favore!"
"C'è qualche cosa che non va!"

Allo sportello della posta:
—comprare dei francobolli
"Due da 100 lire."
"Uno via aerea."

"Che strada devo fare per . . . ?"
—"Vada sempre diritto."
"Prenda la prima a sinistra."
"Prenda la seconda a destra."

Non comprendo quello che Lei dice!
—"Ripeta, per piacere!"
"Parli più lentamente!"
"Parli più adagio!"

NASTRO NUMERO 20

CARLO L'ASPETTA A NAPOLI

Persone: *Sofia, stella del cinema americano*
Un gruppo di amici italiani di Sofia
Luogo: *Fiumicino, l'aeroporto di Roma*
Ora: *Le quattro del pomeriggio*

Altoparlante: È in arrivo da Nuova York il volo 51 dell'Alitalia.

(L'aereo si ferma vicino a un gruppo di circa venti persone, amici della signorina Sofia, grande artista del cinema. La porta dell'aereo si apre. Si vede Sofia.)

Amici — Sofia! Sofia! Viva Sofia! Benvenuta Sofia!

Sofia — Sono molto contenta . . . sono molto contenta. . . .

Amici — Brava Sofia! Contenta Sofia, contenti tutti.

Sofia — Sono venuta qua. . . .

Amici — Brava Sofia! È venuta qua. . . . Ma dov'è venuta, Sofia? Sofia, dov'è venuta?

Sofia — Sono venuta qua a Napoli. . . .

Amici — A Napoli! ? Ma che dice? A Napoli?

Sofia — Sono venuta. . . .

Amici — . . . a Roma, signorina. A Roma!

Sofia — Ma Carlo mi aspetta a Napoli!

Amici — Carlo l'aspetta a Napoli! E chi è questo Carlo?

Sofia — Io vado a Napoli. Dov'è l'aereo per Napoli.

Amici — È partito, signorina. È già partito.

Sofia — Allora, come faccio ad andare a Napoli? Non c'è un altro aereo?

Amici — Domani, signorina. Rimanga a Roma! Una notte a Roma.

Sofia — Oh, come faccio? Come faccio? Carlo mi aspetta oggi a Napoli.

Amici — Può prendere il treno.

Sofia — I treni non mi piacciono.

Amici — Può noleggiare una macchina.

Sofia — Benissimo, ma sì! Noleggerò una macchina.

Amici — Andrà in macchina. Non rimarrà a Roma.

Sofia — È brutta la strada fra Roma e Napoli?

Amici — Macchè, signorina! È bellissima. È un'autostrada.

Sofia — Tra Roma e Napoli?

Amici — Sì, c'è l'autostrada del sole.

Sofia — Oh, che bello! Ma è lontano? Ci vuole molto tempo?

Amici — Ma no! Ma no! Ci vogliono due ore.

Sofia — Due ore! E Carlo mi aspetta a Napoli!

Esercizio 116

NON SONO MAI ANDATO AL CINEMA

sempre	—non . . . mai
qualche cosa	—non . . . niente (nulla)
qualche volta	—non . . . mai
qualcuno, tutti	—non . . . nessuno
. . . o . . .	—nè . . . nè
anche	—neanche (nemmeno)

Sono *sempre* andato al cinema.
Negativo: *Non* sono *mai* andato al cinema.

Scriva le frasi seguenti e le metta al negativo:

1. Vado *sempre* a vedere gli ultimi film italiani.

   Negativo: ______________________________

2. Domani farò *qualche cosa* d'interessante.

   Negativo: ______________________________

3. Andrò a vedere l'ultimo film di Fellini e *anche* quello di Antonioni.

   Negativo: ______________________________

4. I loro film sono *sempre* interessanti.

   Negativo: ______________________________

5. Questi film sono facili da comprendere *qualche volta.*

   Negativo: ______________________________

6. Di solito c'è *qualcuno* che li capisce molto bene.

   Negativo: ______________________________

7. C'è *qualche cosa* per *tutti,* in questi film.

   Negativo: ______________________________

8. Ci sarà *qualche cosa* per *qualcuno anche* in questi ultimi film.

   Negativo: ______________________________

Esercizio 117

SEGNALI STRADALI

Quando si viaggia in macchina per le strade, si vedono segnali come quelli di queste illustrazioni.

Risponda alle seguenti domande:

1. Va a sinistra, la strada?

   ____

2. In quale direzione va?

   ____

3. È meglio correre o andare piano?

   ____

4. È permesso o vietato sorpassare un'altra macchina in curva?

   ____

   ____

5. Quando vede questo segnale in Italia, può andare a cinquanta chilometri all'ora?

   ____

   ____

6. Si può andare a cinquanta miglia?*

   ____

   ____

7. Si può andare a meno di cinquanta chilometri?

   ____

   ____

*un miglio = 1,607 metri
due miglia = 3,214 metri

8. È permesso lasciare la macchina vicino a questo segnale?

9. È vietato lasciare la macchina qui, tra le ore ventidue e le otto?

10. È vietato o permesso il parcheggio vicino a questo segnale?

Divieto di svolta a destra

Fine del limite di velocità

Transito vietato ai pedoni

Transito vietato alle biciclette

Transito vietato ai motocicli

Esercizio 118

HA VISTO GLI AEREI? SÌ, LI HO VISTI

Ho visto gli aerei. **Li** ho visti.
Ho visto tre aerei. **Ne** ho visti tre.

1. Sofia ha visto gli amici. ______________________

   Lei ha visto venti amici. ______________________

2. Non ha sentito le amiche. ______________________

   Non ha sentito venti amiche. ______________________

3. Noi abbiamo salutato la grande diva. ______________________

   Abbiamo salutato due stelle del cinema. ______________________

4. La signorina non ha comprato la macchina. ______________________

   ____

   Non ha comprato macchine. ______________________

5. Ha noleggiato quell'automobile. ______________________

   Non ha noleggiato tre automobili. ______________________

6. Ha portato le valige nella sua macchina. ______________________

   ____

   Ha messo una valigia nel bagagliaio della sua macchina. ______________________

   ____

7. Ha lasciato la macchina vicino al segnale di parcheggio. ______________________

   ____

   Abbiamo lasciato altre tre macchine vicino alla prima. ______________________

   ____

8. Carlo ha aspettato la signorina. ______________________

   Non ha aspettato due signorine. ______________________

QUALCHE COSA PER IL TURISTA

Nel tassì:

Vorrei andare in città.
. . . in centro.
. . . all'albergo "Danieli."
. . . all'aeroporto.
Quant'è?

All'albergo:

Ho bisogno di . . . Vorrei . . .
. . . una camera con bagno.
doccia.
. . . una camera singola.
. . . una camera con pensione.

Per chi?
Per me solo.
Per due persone.

Per quando?
Subito.
Per stasera.
Per domani.

Per quanto tempo?
Per una notte.
Per tre giorni.
Fino a lunedì.
Per il momento.

Dal barbiere:

Taglio di capelli.
Non troppo corti.
E la barba, per piacere!

Dal parrucchiere:

Lavare
Messa in piega
Una permanente

In banca:

Vorrei cambiare. . . .
È il cambio migliore?
Devo firmare?

Al ristorante:

Il menù, per piacere!
Ci porti del. . . .
Ci porti dell'altro. . . .
Il conto, per piacere!

Sale e tabacchi: Vorrei . . .
. . . due (francobolli) da . . . lire.
. . . un pacchetto di sigarette "Nazionali."
. . . cinque sigari "Cavour."
. . . una scatola di cerini/fiammiferi.

Informazioni: Dov'è . . . ?
Che strada devo fare per andare . . .
. . . al Ponte Vecchio?
. . . al Castello Sforzesco?
. . . al Lido?

In negozio: Vorrei . . . Mi dia . . .
. . . uno di questi.
. . . due di quelli.
. . . questo qui.
È troppo caro per me!

In garage: Faccia il pieno, per piacere!
Verifichi l'olio.
. . . l'acqua.
. . . le gomme.

C'è qualcosa che non va!
Mi scusi tanto!
Parli più adagio!
Non capisco (non comprendo) bene l'italiano.

Un viaggio in treno: Devo comprare un biglietto . . .
. . . di prima (seconda) classe
. . . andata e ritorno
. . . semplice
Due di seconda, andata e ritorno per Napoli!

C'è posto qui?
Questo posto è . . .
. . . prenotato
. . . libero
. . . occupato

A che ora . . .
. . . arriva il rapido da Milano?
. . . si ferma il treno a Firenze?
. . . parte il diretto per Napoli?

Si deve cambiare treno?

Quante ore ci vogliono per Napoli?
Quanto (tempo) ci vuole per Roma?

Esercizio 119

IL SESTO DETTATO

Ascolti e scriva il dettato numero sei dal Suo nastro di dettati:

1. ____

2. ____

3. ____

4. ____

5. ____

DUE PAROLE AI NOSTRI ALLIEVI

Caro allievo della scuola Berlitz:

Ora Lei ha finito il nostro Primo Corso e non è più un principiante* nello studio della lingua italiana.

Nelle prime pagine di questo libro c'è una prefazione sul metodo Berlitz, scritta in italiano e riservata all'insegnante. In queste ultime pagine del libro vogliamo continuare a parlare un po' del nuovo metodo. In italiano, naturalmente; ma questa volta, possiamo parlare anche con Lei. Perchè oggi Lei non è più nella prima elementare della scuola italiana. Oggi Lei sa leggere, capire, e parlare l'italiano.

Congratulazioni!

Lei ha notato il nostro motto, no? "Loqui Loquendo Discitur." "Soltanto parlando s'impara a parlare." Era un motto degli antichi romani. Il Signor Berlitz lo conosceva bene. Ora anche Lei, come allievo di una scuola Berlitz, sa quanto è giusto . . . e noi vogliamo che lo dica a tutti quelli che vogliono imparare una lingua straniera. Soltanto parlando, dunque, s'impara a parlare.

Forse, caro allievo, Lei è già stato in Italia, o forse si sta preparando ad andarci. Siamo contenti che Lei studi la lingua prima di partire.

Nel nostro Secondo Corso si continua lo studio non soltanto della lingua, ma anche della civiltà italiana. Parleremo della geografia del paese, delle sue scuole, dell'arte italiana e del teatro, dell'industria italiana, e della vita nelle città moderne d'Italia.

Avremo un secondo libro, avremo altre cassette che Lei potrà ascoltare anche a casa Sua; ci saranno uno o più insegnanti che parleranno con Lei. E quando arriverà a Milano o a Torino, a Roma o a Bari, Lei non sarà più solamente un turista, ma quasi un italiano che ritorna nel suo paese.

*principiante = una persona che comincia a imparare qualche cosa—per esempio, una lingua

FINE

VERBI

Verbi Usati Nel Corso d'Italiano I

abitare
accendere
alzare
amare
andare
aprire
arrivare
ascoltare
aspettare
avere
ballare
bere
bussare
cadere
cambiare
camminare
cantare
capire
cenare
cercare
chiamare
chiedere
chiudere
cominciare
comprare
consigliare
contare
contenere
continuare
controllare
coprire
costare
cucinare
dare
depositare
desiderare
dettare
dimenticare
dire
discutere
dispiacere
divertire
dividere
domandare
dormire
dovere
durare
entrare
essere
fare
fermare
festeggiare
finire
firmare
fumare
giocare
guadagnare
guardare
guidare
imparare
indossare
insegnare
lasciare
lavare
lavorare
leggere
levare
mandare
mangiare
mettere
nevicare
noleggiare
nuotare
ordinare
pagare
parlare
partire
passare
perdere
piacere
piovere
portare
potere
pranzare
preferire
prendere
prenotare
preparare
pulire
raccomandare
regalare
restare
ricevere
riguardare
rimanere
ripetere
riposare
riscaldare
risparmiare
rispondere
ritornare
rompere
salire
sapere
sbagliare
scendere
sciare
scrivere
sedere
sentire
spegnere
spendere
spogliare
stare
stirare
stracciare
studiare
suonare
sviluppare
tagliare
telefonare
tenere
togliere
tornare
tramontare
trovare
uscire
vedere
venire
versare
vestire
volere

Nelle pagine seguenti l'allievo troverà quattro tavole di verbi.
Queste tavole contengono solamente le forme verbali usate nel corso.
Le tavole sono:

1. Verbi ausiliari
2. Verbi modelli per le tre coniugazioni
3. Altri verbi (verbi che non si coniugano seguendo il modello)
4. Participi passati dei verbi irregolari usati.

Verbi Ausiliari

Infinito	Presente (oggi)	Passato Prossimo (ieri)	Imperfetto (ieri)	Futuro (domani)	Imperativo e Congiuntivo	-ando -endo (con stare)
avere	ho ha abbiamo hanno	ho avuto ha avuto abbiamo avuto hanno avuto	avevo aveva avevamo avevano	avrò avrà avremo avranno	abbia abbia abbiamo abbiano	avendo
essere	sono è siamo sono	sono stato è stato siamo stati sono stati	ero era eravamo erano	sarò sarà saremo saranno	sia sia siamo siano	essendo

Verbi Modelli

Infinito	Presente (oggi)	Passato Prossimo (ieri)	Imperfetto (ieri)	Futuro (domani)	Imperativo e Congiuntivo	-ando -endo (con stare)
parlare	parlo parla parliamo parlano	ho parlato ha parlato abbiamo parlato hanno parlato	parlavo parlava parlavamo parlavano	parlerò parlerà parleremo parleranno	parli parli parliamo parlino	parlando
ripetere	ripeto ripete ripetiamo ripetono	ho ripetuto ha ripetuto abbiamo ripetuto hanno ripetuto	ripetevo ripeteva ripetevamo ripetevano	ripeterò ripeterà ripeteremo ripeteranno	ripeta ripeta ripetiamo ripetano	ripetendo
dormire (1)	dormo dorme dormiamo dormono	ho dormito ha dormito abbiamo dormito hanno dormito	dormivo dormiva dormivamo dormivano	dormirò dormirà dormiremo dormiranno	dorma dorma dormiamo dormano	dormendo
finire (2)	finisco finisce finiamo finiscono	ho finito ha finito abbiamo finito hanno finito	finivo finiva finivamo finivano	finirò finirà finiremo finiranno	finisca finisca finiamo finiscano	finendo

Altri Verbi

Infinito	Presente (oggi)	Passato Prossimo (ieri)	Imperfetto (ieri)	Futuro (domani)	Imperativo e Congiuntivo	-ando -endo (con stare)
andare	vado	sono andato	andavo	andrò	vada	andando
	va	è andato	andava	andrà	vada	
	andiamo	siamo andati	andavamo	andremo	andiamo	
	vanno	sono andati	andavano	andranno	vadano	
aprire	apro	ho aperto	aprivo	aprirò	apra	aprendo
	apre	ha aperto	apriva	aprirà	apra	
	apriamo	abbiamo aperto	aprivamo	apriremo	apriamo	
	aprono	hanno aperto	aprivano	apriranno	aprano	
bere	bevo	ho bevuto	bevevo	berrò	beva	bevendo
	beve	ha bevuto	beveva	berrà	beva	
	beviamo	abbiamo bevuto	bevevamo	berremo	beviamo	
	bevono	hanno bevuto	bevevano	berranno	bevano	
cadere	cado	sono caduto	cadevo	cadrò	cada	cadendo
	cade	è caduto	cadeva	cadrà	cada	
	cadiamo	siamo caduti	cadevamo	cadremo	cadiamo	
	cadono	sono caduti	cadevano	cadranno	cadano	
dare	do	ho dato	davo	darò	dia	dando
	dà	ha dato	dava	darà	dia	
	diamo	abbiamo dato	davamo	daremo	diamo	
	danno	hanno dato	davano	daranno	diano	
dire	dico	ho detto	dicevo	dirò	dica	dicendo
	dice	ha detto	diceva	dirà	dica	
	diciamo	abbiamo detto	dicevamo	diremo	diciamo	
	dicono	hanno detto	dicevano	diranno	dicano	
dovere	devo	ho dovuto	dovevo	dovrò	deva	dovendo
	deve	ha dovuto	doveva	dovrà	deva	
	dobbiamo	abbiamo dovuto	dovevamo	dovremo	dobbiamo	
	devono	hanno dovuto	dovevano	dovranno	devano	
fare	faccio	ho fatto	facevo	farò	faccia	facendo
	fa	ha fatto	faceva	farà	faccia	
	facciamo	abbiamo fatto	facevamo	faremo	facciamo	
	fanno	hanno fatto	facevano	faranno	facciano	
piacere	piaccio	ho piaciuto	piacevo	piacerò	piaccia	piacendo
	piace	ha piaciuto	piaceva	piacerà	piaccia	
	piacciamo	abbiamo piaciuto	piacevamo	piaceremo	piacciamo	
	piacciono	hanno piaciuto	piacevano	piaceranno	piacciano	

Infinito	Presente (oggi)	Passato Prossimo (ieri)	Imperfetto (ieri)	Futuro (domani)	Imperativo e Congiuntivo	-ando -endo (con stare)
potere	posso può possiamo possono	ho potuto ha potuto abbiamo potuto hanno potuto	potevo poteva potevamo potevano	potrò potrà potremo potranno	possa possa possiamo possano	potendo
salire	salgo sale saliamo salgono	sono salito è salito siamo saliti sono saliti	salivo saliva salivamo salivano	salirò salirà saliremo saliranno	salga salga saliamo salgano	salendo
sapere	so sa sappiamo sanno	ho saputo ha saputo abbiamo saputo hanno saputo	sapevo sapeva sapevamo sapevano	saprò saprà sapremo sapranno	sappia sappia sappiamo sappiano	sapendo
sedere	siedo siede sediamo siedono	sono seduto è seduto siamo seduti sono seduti	sedevo sedeva sedevamo sedevano	sederò sederà sederemo sederanno	sieda sieda sediamo siedano	sedendo
stare	sto sta stiamo stanno	sono stato è stato siamo stati sono stati	stavo stava stavamo stavano	starò starà staremo staranno	stia stia stiamo stiano	stando
tenere	tengo tiene teniamo tengono	ho tenuto ha tenuto abbiamo tenuto hanno tenuto	tenevo teneva tenevamo tenevano	terrò terrà terremo terranno	tenga tenga teniamo tengano	tenendo
uscire	esco esce usciamo escono	sono uscito è uscito siamo usciti sono usciti	uscivo usciva uscivamo uscivano	uscirò uscirà usciremo usciranno	esca esca usciamo escano	uscendo
vedere	vedo vede vediamo vedono	ho visto ha visto abbiamo visto hanno visto	vedevo vedeva vedevamo vedevano	vedrò vedrà vedremo vedranno	veda veda vediamo vedano	vedendo
venire	vengo viene veniamo vengono	sono venuto è venuto siamo venuti sono venuti	venivo veniva venivamo venivano	verrò verrà verremo verranno	venga venga veniamo vengano	venendo
volere	voglio vuole vogliamo vogliono	ho voluto ha voluto abbiamo voluto hanno voluto	volevo voleva volevamo volevano	vorrò vorrà vorremo vorranno	voglia voglia vogliamo vogliano	volendo

Participi Passati Irregolari

accendere	acceso
chiedere	chiesto
chiudere	chiuso
decidere	deciso
leggere	letto
mettere	messo
prendere	preso
rimanere	rimasto
rispondere	risposto
rompere	rotto
scrivere	scritto

CHIAVE PER GLI ESERCIZI

ESERCIZIO 1

un signore *una* sigaretta *un* fiammifero *una* bottiglia *una* tazza *una* matita *una* penna *una* tavola *una* porta *una* sedia *una* finestra *un* libro *una* pagina *un* microfono *una* cassetta *un* magnetofono *un* nastro

ESERCIZIO 2

1. Sì, è un fiammifero. No, non è un fiammifero.
2. Sì, è una penna. No, non è una penna.
3. Sì, è un nastro. No, non è un nastro.
4. Sì, è una finestra. No, non è una finestra.
5. Sì, è una sedia. No, non è una sedia.

ESERCIZIO 3

1. Questa è una tazza. La tazza è azzurra.
2. Questo è un libro. Il libro è giallo.
3. Questa è una cassetta. La cassetta è verde.
4. Questo è un sigaro. Il sigaro è marrone.
5. Questo è un tavolo. Il tavolo è bianco.

ESERCIZIO 5 A

1. È in Europa. 2. È a Milano. 3. È negli Stati Uniti. 4. È a Roma. 5. È in Francia.

B

1. È una grande città italiana. 2. È un corto fiume italiano. 3. È una piccola città italiana. 4. È un lungo fiume italiano. 5. È una piccola città italiana.

ESERCIZIO 6

1. È il suo cane. 2. È la sua cassetta. 3. È la sua borsetta. 4. È il suo dottore. 5. È la mia macchina. 6. È il mio giornale. 7. È il Suo professore. 8. È la Sua rivista. 9. È la sua segretaria. 10. È la sua borsetta.

ESERCIZIO 7

1. Questo sigaro è marrone. Questo sigaro marrone è lungo. 2. Quest'autostrada è italiana. Quest'autostrada italiana è lunga. 3. Questo libro è azzurro. Questo libro azzurro è grande. 4. Questa macchina è tedesca. Questa macchina tedesca è piccola. 5. Questo fiume è italiano. Questo fiume italiano è corto.

ESERCIZIO 8

1. Questa è la sua camicia. 2. Questo è il suo vestito. 3. Questo è il suo cane. 4. Questo è il suo giornale. 5. Questa è la sua sigaretta.

ESERCICIO 9

1. spagnola 2. francese 3. la Germania 4. inglese 5. il Canadà

ESERCIZIO 10

1. sono 2. è 3. è 4. è 5. è, Sono

ESERCIZIO 11

1. È in ufficio. (È nel suo ufficio.) 2. Il suo nome è signorina Neri. 3. È in piedi. 4. Lei è seduta. 5. È sotto il tavolo. 6. C'è un giornale sotto la porta. 7. Sì, c'è un telefono in quest'ufficio. 8. È sul tavolo. 9. C'è un numero di telefono sulla finestra. 10. Il suo numero di telefono è 73 42 65.

ESERCIZIO 12

1. La Fiat è una macchina italiana; la Ferrari è un'altra macchina italiana.
2. Il Chianti è un vino italiano; il Verdicchio è un altro vino italiano.
3. L'Italia è una nazione d'Europa; la Francia è un'altra nazione d'Europa.
4. Roma è una città italiana; Milano è un'altra città italiana.
5. Il Tevere è un fiume italiano; l'Arno è un altro fiume italiano.

ESERCIZIO 13

1. Sì, c'è un tavolo in questa classe. 2. È dietro di Lei. 3. Sulla parete c'è una carta geografica d'Europa. 4. È sul tavolo. 5. Sotto il tavolo c'è una matita corta. 6. No, io non sono in questa classe. 7. No, io non sono in piedi. 8. Io sono lo studente. 9. No, Lei non è il direttore della scuola. 10. Lei è il professore d'italiano.

ESERCIZIO 14

uno stato *una* classe *un* quadro *un* tappeto *un* porto *un* aereo
uno svizzero *un* bicchiere *uno* studente *una* scrivania *un'*aula *un* bar

ESERCIZIO 15

il pavimento *la* parete *lo* stato *la* lampada *lo* zero *la* stazione
lo studente *la* nave *il* parcheggio *l'*albergo *lo* spagnolo *il* pacchetto

ESERCIZIO 16

1. in 2. nel 3. della 4. a 5. al 6. alla 7. sul 8. di 9. nella 10. all'
11. in 12. del 13. sulla 14. dell' (d') 15. alla

ESERCIZIO 17

1. Anche la Francia è un paese d'Europa. 2. Nemmeno quella casa è piccola. 3. Anche in quella stanza c'è una lampada. 4. Nemmeno questa casa è grande. 5. Nemmeno io sono seduto per terra. 6. Nemmeno Lei parla con la segretaria. 7. Anche il telefono è sulla scrivania. 8. Anche in quell'albergo c'è un bar. 9. Nemmeno la sedia è dietro di me. 10. Anche Lei è in piedi alla finestra.

ESERCIZIO 18

1. È in un bar. 2. È con la signora Righini. 3. Prende un caffè. 4. Prende un caffè anche lei. 5. La signorina del bar lo porta. 6. Sì, porta anche lo zucchero. 7. Il signor Melzi lo prende con zucchero. 8. Lei mette del latte nel caffè. 9. Sì, è molto buono. 10. Va al cinema.

ESERCIZIO 19

1. Sono le dieci. 2. Sono le tre meno un quarto. 3. Sono le quattro e un quarto. 4. Sono le cinque e mezzo. 5. Sono le sette e dieci.

ESERCIZIO 20

1. Lei va a scuola alla sette e mezzo. 2. Prende l'autobus alle sette e quaranta. 3. Entra in classe alle otto. 4. Ritorna a casa alle dieci meno un quarto. 5. Ascolta il nastro alla dieci e cinque.

ESERCIZIO 21

il tassì *il* biglietto *la* mano *la* tasca *la* rivista *la* barca *la* lezione *l'*acqua *il* tè *l'*aperitivo *la* notte *la* musica

ESERCIZIO 22

1. a) Vado a scuola alle sei. b) Apro la porta ed entro nella classe. c) Prendo lezioni d'italiano. d) Ascolto il mio professore, ripeto e rispondo. e) Poi torno a casa ed ascolto il nastro.
2. a) Lei va a scuola alle sei. b) Apre la porta ed entra nella classe. c) Prende lezioni d'italiano. d) Ascolta il Suo professore, ripete e risponde. e) Poi torna a casa ed ascolta il nastro.
3. a) Vada a scuola alle sei! b) Apra la porta ed entri nella classe! c) Prenda lezioni d'italiano! d) Ascolti il Suo professore, ripeta e risponda! e) Poi torni a casa ed ascolti il nastro!

ESERCIZIO 23

1. Lei risponde al professore. Per favore, risponda al professore! 2. Io apro il mio libro. Per favore, apra il Suo libro! 3. Lei ascolta il nastro. Io metto la cassetta per ascoltare il nastro. 4. Il direttore non fuma nella classe. Per favore, non fumi nella classe! 5. Io vengo alle 3. Maria viene alle 3. 6. Lui va al bar per prendere un caffè. Per favore, prenda un caffè! 7. Che cosa faccio io? Che cosa fa Giovanni? 8. A che ora viene a scuola Lei? A che ora vengo a scuola io? 9. Io vado alla porta per entrare. Io entro. 10. Io faccio il mio esercizio. Per favore, faccia il Suo esercizio!

ESERCIZIO 24 1. Io prendo la chiave per chiudere la porta della macchina. 2. L'allievo apre la porta per entrare in classe. 3. Io apro il garage per prendere la macchina. 4. Lei mette il nastro nel registratore per ascoltare la musica. 5. Il signor Rossi va al bar per prendere una tazza di caffè.

ESERCIZIO 25 1. Luigi chiude il giornale. 2. Luigi prende il giornale. 3. Lei prende il giornale. 4. Lei prende la cassetta. 5. Lei ascolta la cassetta. 6. Io ascolto la cassetta. 7. Per favore, ascolti la cassetta! 8. Per favore, ascolti il nastro! 9. Per favore, ascolti quest'esercizio! 10. Per favore, faccia quest'esercizio!

ESERCIZIO 26 1. No, non è in una scuola. 2. È in un bar di Firenze. 3. No, non prende un bicchiere di vino. 4. Prende una tazza di caffè. 5. Lo prende senza latte.

ESERCIZIO 27 A 1. Lo fumo. 2. L'apre. 3. Non l'ascolto. 4. La chiude. 5. Non lo mette.

B 1. Lo prenda! 2. Non la fumi qui! 3. Lo ripeta! 4. Non lo prenda! 5. Lo faccia!

ESERCIZIO 28 1. Tredici più ventisette fa quaranta. 2. Venti per quattro fa ottanta. 3. Undici meno sei fa cinque. 4. Tre per sette fa ventuno. 5. Quarantuno meno ventisette fa quattordici. 6. Otto più sette fa quindici. 7. Ventuno meno quattro fa diciassette. 8. Otto per cinque fa quaranta. 9. Ventuno più trentatre fa cinquantaquattro. 10. Sei per quattro fa ventiquattro.

ESERCIZIO 29 1. Da Milano a Pisa ci sono duecentoventi chilometri. 2. Da Roma a Parigi ci sono millecinquanta chilometri. 3. Da Roma a Pisa ci sono trecento chilometri. 4. Da Pisa a Parigi ci sono settecentosettanta chilometri. 5. Da Parigi a Milano ci sono cinquecentocinquanta chilometri.

ESERCIZIO 30 1. La famiglia Rossi è a casa. 2. Il signor Rossi è seduto in una poltrona. 3. La signora Rossi ha una tazza di caffè in mano. 4. Ci sono tre figli nella famiglia Rossi. 5. Il suo nome è Angelina. 6. Ha due sorelle. 7. Hanno un fratello. 8. Ha un libro d'illustrazioni in mano. 9. Sì, la famiglia Rossi ha un cane. 10. È seduto sotto il tavolo grande.

ESERCIZIO 31 1. la sorella 2. i genitori 3. il fratello 4. la madre 5. la figlia

ESERCIZIO 32 1. è, ha 2. sono, ho 3. è, ha 4. è, ha 5. è, ha

ESERCIZIO 33 1. Ecco il vestito. Ecco i vestiti. 2. Ecco la carta. Ecco le carte. 3. Ecco il biglietto. Ecco i biglietti. 4. Ecco la macchina. Ecco le macchine. 5. Ecco la matita. Ecco le matite.

ESERCIZIO 34 1. Ci sono due sedie nella classe. 2. Ci sono due tavoli dietro di me. 3. Ci sono due finestre in questa camera. 4. Ci sono due sigari nella scatola. 5. Ci sono due riviste sul tavolo.

ESERCIZIO 35 A 1. Ecco due fiammiferi corti. 2. Ecco due penne corte. 3. Ecco due belle ragazze. 4. Ecco due telefoni neri. 5. Ecco due borse marrone.

B 1. Quanto costano due sigari buoni? 2. Quanto costano due giornali francesi? 3. Quanto costano due riviste italiane? 4. Quanto costano due vestiti italiani? 5. Quanto costano due macchine inglesi?

ESERCIZIO 36 1. Queste strade sono cattive. 2. Questi aerei sono grandi. 3. Questi signori sono seduti. 4. Queste cravatte sono verdi. 5. Queste chiavi sono lunghe.

ESERCIZIO 37

1. Quanti bicchieri di vino ha Lei? 2. Quante stazioni ha Napoli? 3. Quante lezioni ha Paolo domani? 4. Quante classi ci sono in quella scuola? 5. Quanti professori sono italiani?

ESERCIZIO 38

1. Come sono gli alberghi Hilton? 2. Sono lunghe le autostrade? 3. Chi sono gli insegnanti d'italiano? 4. Dove sono gli aerei per Milano? 5. Sono azzurre le acque del Mediterraneo?

ESERCIZIO 39

1. Quelle cassette sono piccole. 2. Quegli stati sono grandi. 3. Quei fiumi sono lunghi. 4. Quegli studenti sono seduti. 5. Quelle signorine sono francesi.

ESERCIZIO 40

1. Quelle allieve sono a scuola. 2. Questi treni sono lunghi. 3. Quei signori hanno i capelli neri. 4. Quelle signore sono tedesche. 5. Questi giornali costano mille lire. 6. Queste macchine italiane fanno 150 km. all'ora. 7. Questi studenti tedeschi hanno denaro per il direttore. 8. Queste navi francesi sono grandi. 9. Quei pacchetti di sigarette costano 1500 lire. 10. Questi aerei fanno 900 km. all'ora.

ESERCIZIO 41

1. Gli uomini sono seduti in classe. 2. Lui ha le mani in tasca. 3. I tassì sono davanti all'aeroporto. 4. Questi film americani sono buoni. 5. Queste città italiane sono grandi. 6. Gli autobus fanno 100 km/ora. 7. Questi artisti italiani sono buoni. 8. Questi bar sono molto piccoli. 9. I cinema sono molto grandi. 10. Questi tailleur costano 150.000 lire.

ESERCIZIO 42

1. Sono alla stazione. 2. Compra i biglietti. 3. No, non va a Napoli con la sua famiglia. 4. Va a Milano. 5. Ha solamente una figlia.

ESERCIZIO 43

1. È piccola. 2. È cattivo. 3. È la scarpa sinistra. 4. È in piedi. 5. Prende lezioni l'allievo. 6. Va a Milano. 7. È mio fratello. 8. È sotto il tavolo. 9. Sono davanti alla stazione. 10. Porta vestiti da uomo

ESERCIZIO 44

1. a) Lei va al concerto. b) Prende il Suo biglietto. c) Entra nella sala di concerto. d) Compra il programma. e) Ascolta la musica. f) Poi ritorna a casa.
2. a) Io vado al concerto. b) Prendo il mio biglietto. c) Entro nella sala di concerto. d) Compro il programma. e) Ascolto la musica. f) Poi ritorno a casa.
3. a) Lei va al concerto. b) Prende il suo biglietto. c) Entra nella sala di concerto. d) Compra il programma. e) Ascolta la musica. f) Poi ritorna a casa.

ESERCIZIO 45

1. La sua macchina sta sul parcheggio. 2. Io non sto a casa mia alle tre. 3. Quei ragazzi stanno sulla strada. 4. Io sto nel mio ufficio. 5. Dove sta Lei?

ESERCIZIO 46

1. Ce l'ho in mano. 2. Ce l'ha nella borsetta. 3. Ce l'ha nella tasca della giacca. 4. Ce l'ho nella mano destra. 5. Ce l'ha davanti a lui.

ESERCIZIO 47

1. Prenda la chiave, per favore! 2. Apra la porta, per favore! 3. Chiuda la finestra, per favore! 4. Vada alla stazione, per favore! 5. Venga a casa mia, per favore! 6. Entri nella stanza, per favore! 7. Ascolti questo nastro, per favore! 8. Ripeta, per favore! 9. Risponda, per favore! 10. Conti le sigarette nel pacchetto, per favore!

ESERCIZIO 48

1. Pietro prende un tassì per andare all'aeroporto. 2. Io vado al concerto per ascoltare la musica. 3. Paolo va alla tabaccheria per comprare un pacchetto di sigarette. 4. Io prendo l'autobus per ritornare a casa. 5. Il signor Duval prende l'aereo per andare a Roma.

ESERCIZIO 49

1. Porta soltanto una giacca. 2. Porta una giacca grigia. 3. Sì, porta anche un cappello. 4. Ha un biglietto da 100 franchi in mano. 5. No, non ha lire italiane.

ESERCIZIO 50

1. Sì, ha preso lezioni d'italiano. 2. Ha preso dodici lezioni. 3. Ha parlato italiano in classe. 4. Ha fatto le sue domande in italiano. 5. Sì, ha risposto anche in italiano. 6. No, non ha scritto le parole italiane. 7. No, non ha letto il libro in classe. 8. No, non ha parlato inglese con il professore. 9. Sì, ha imparato l'alfabeto. 10. Ha ascoltato i nastri a casa.

ESERCIZIO 51

1. a) Quale lingua si parla a Roma? b) Dove si parla italiano?
2. a) Quanto costa la grossa macchina? b) Quale macchina costa 10.000.000 di lire? c) Che cosa costa 10.000.000 di lire?
3. a) Che cosa ha preso Paolo per andare in città? b) Chi ha preso la macchina per andare in città? c) Perchè Paolo ha preso la macchina? d) Che cosa ha fatto Paolo per andare in città?

ESERCIZIO 52

1. A scuola non imparo nè il francese nè il tedesco, ma italiano. 2. Il Colosseo non è nè a Parigi nè a Londra, ma a Roma. 3. Non leggo nè un giornale nè una rivista, ma un libro. 4. A Londra non si parla nè tedesco nè spagnolo, ma inglese. 5. A scuola nè si scrive nè si legge, ma si parla.

ESERCIZIO 53

1. Parla con il signor Greco. 2. Scrive una lettera al signor Greco. 3. Il direttore la prende. 4. Sì, dice "grazie" alla segretaria. 5. Sì, lui legge la lettera.

ESERCIZIO 54

1. Io scrivo una lettera al signor Bianchi. Lei scrive una lettera al signor Bianchi. Per favore, scriva una lettera al signor Bianchi. 2. Io parlo italiano con il direttore. L'allievo parla italiano con il direttore. Per favore, parli italiano con il direttore! 3. Lei guarda questa cartolina illustrata. Pietro guarda questa cartolina illustrata. Per favore, guardi questa cartolina illustrata! 4. Io leggo il telegramma. Lei legge il telegramma. Per favore, legga il telegramma! 5. Io dico "Buongiorno!" Lei dice "Buongiorno!". Per favore, dica "Buongiorno!"

ESERCIZIO 55

1. Ieri la segretaria era in ufficio. 2. Ieri io ero a Roma. 3. Ieri Giovanna era a scuola. 4. Ieri io ero al concerto. 5. Ieri Pietro era al cinema.

ESERCIZIO 56

1. a) Ieri la segretaria ha preso l'autobus per andare all'ufficio. b) La porta dell'ufficio era chiusa. c) Il direttore non c'era. d) La segretaria ha aperto la porta con la sua chiave. e) Dietro la porta c'era un telegramma. f) Lei ha preso il telegramma e l'ha letto. g) Poi ha telefonato al direttore. h) Infine ha scritto una risposta al telegramma.
2. a) Ieri io ho preso l'autobus per andare all'ufficio. b) La porta dell'ufficio era chiusa. c) Il direttore non c'era. d) Io ho aperto la porta con la mia chiave. e) Dietro la porta c'era un telegramma. f) Ho preso il telegramma e l'ho letto. g) Poi ho telefonato al direttore. h) Infine ho scritto una risposta al telegramma.

ESERCIZIO 57

1. Ieri il direttore era a casa. La sua segretaria era all'ufficio. Lei ha telefonato alla casa del direttore: c'era un telegramma urgente in ufficio. Allora il direttore ha preso un tassì. All'ufficio lui ha aperto la porta e ha detto "Buongiorno!" alla segretaria. Ha preso il telegramma, l'ha aperto, e l'ha letto. Poi ha scritto le risposte. (Ha risposto in italiano.) Alle cinque ha messo il suo soprabito. Ha detto "ArrivederLa" alla segretaria e ha preso l'autobus per ritornare a casa. 2. Ieri Lei era a casa. La Sua segretaria era all'ufficio. Lei ha

telefonato a casa Sua: c'era un telegramma urgente in ufficio. Allora Lei ha preso un tassì. All'ufficio Lei ha aperto la porta e ha detto: "Buongiorno!" alla segretaria. Ha preso il telegramma, l'ha aperto e l'ha letto. Poi ha scritto le risposte. (Ha risposto in italiano.) Alle cinque ha messo il Suo soprabito. Ha detto "ArrivederLa" alla segretaria e ha preso l'autobus per ritornare a casa.

ESERCIZIO 58 1. Pietro ha imparato l'inglese. 2. Io ho preso la macchina per andare in città. 3. Lei non ha capito questa frase. 4. La segretaria ha scritto una lettera al signor Rossi. 5. L'allievo ha ascoltato il nastro a casa. 6. Io ho messo il mio soprabito per andare nella strada. 7. Lei ha aperto il pacchetto per prendere una sigaretta. 8. Il direttore ha letto un articolo sull'economia. 9. Angelina ha parlato al telefono con suo padre. 10. L'allievo ha risposto al suo professore.

ESERCIZIO 59 1. Sì, l'ha presa. 2. Sì, l'ho ascoltato. 3. Sì, l'ho capita. 4. Sì, l'ho fatto. 5. Sì, l'ho scritta.

ESERCIZIO 60 1. Ci vado alle cinque. 2. C'era con sua moglie. 3. C'ero ieri. 4. Ci va in aereo. 5. Ci sono con il mio professore.

ESERCIZIO 61 1. d 2. e 3. a 4. b 5. c

ESERCIZIO 62 1. Lei è una madre. 2. Lei è una figlia. 3. Lei è una donna. 4. Lei è una sorella. 5. Lei è una moglie.

ESERCIZIO 63 1. Lavora in un calzaturificio. 2. È una fabbrica di scarpe. 3. No, non è lontana della sua casa. 4. Ci va a piedi. 5. Lavora dieci ore. 6. No, non lavora tanto quanto Nanda. 7. Lavora più di Filippo. 8. Lavora meno di Nanda. 9. No, il suo ufficio non ha tanti impiegati quanti la fabbrica di Nanda. 10. La fabbrica ha più impiegati dell'ufficio.

ESERCIZIO 64 1. sono, ho 2. è, ha 3. ha, è 4. siamo, abbiamo 5. è, ha 6. sono, hanno 7. è, ha 8. è, ha 9. hanno, sono 10. hanno, sono

ESERCIZIO 65 1. Siamo in ottobre. 2. Settembre viene prima di ottobre. 3. Novembre viene dopo ottobre. 4. Dicembre è l'ultimo mese dell'anno. 5. Domenica è l'ultimo giorno della settimana. 6. Ci sono sette giorni in una settimana. 7. Ci sono trentuno giorni in ottobre. 8. Oggi è lunedì. 9. No, oggi non è il 29 febbraio. 10. Oggi è il due ottobre.

ESERCIZIO 66 1. Le segretarie vanno in banca con i loro assegni. Noi andiamo in banca con i nostri assegni. 2. Carlo conta le sue cravatte. Noi contiamo le nostre cravatte. 3. Noi parliamo con i nostri fratelli. Io parlo con i miei fratelli. 4. Io scrivo le mie lettere. Pietro scrive le sue lettere. 5. Maria abita con i suoi genitori. Io abito con i miei genitori.

ESERCIZIO 67 portare — porto, porta, portiamo, portano — Porti!
lavorare — lavoro, lavora, lavoriamo, lavorano — Lavori!
ritornare — ritorno, ritorna, ritorniamo, ritornano — Ritorni!
scrivere — scrivo, scrive, scriviamo, scrivono — Scriva!
rispondere — rispondo, risponde, rispondiamo, rispondono — Risponda!
aprire — apro, apre, apriamo, aprono — Apra!
capire — capisco, capisce, capiamo, capiscono — Capisca!
andare — vado, va, andiamo, vanno — Vada!
venire — vengo, viene, veniamo, vengono — Venga!
dire — dico, dice, diciamo, dicono — Dica!

stare — sto, sta, stiamo, stanno — Stia!
fare — faccio, fa, facciamo, facciano – Faccia!
essere — sono, è, siamo, sono — Sia!
avere — ho, ha, abbiamo, hanno — Abbia!

ESERCIZIO 68

1. Sì, le dice "Buongiorno". 2. Gli risponde "Buongiorno". 3. No, non le dà un etto di zucchero. 4. Le dà un etto di burro e un litro di latte. 5. No, non gli dà la mano. 6. Sì, gli dà del denaro. 7. No, non le dà il pacco. 8. Sì, le manda il pacco. 9. Le manda il pacco alle sei. 10. Gli dice "Grazie mille".

ESERCIZIO 69

1. Sì, c'è qualcuno alla porta. 2. No, non c'è nessuno dietro di lui. 3. Sì, porta qualche cosa. 4. No, non porta niente per lui. 5. Sì, c'è qualche cosa per loro.

ESERCIZIO 70

1. Il suo cognome è "Galassi". 2. Il suo nome è "Carlo". 3. No, non è un artista. 4. È ingegnere. 5. Abita a Napoli. 6. Il numero della sua casa è 48. 7. No, non abita in Via Garibaldi. 8. Abita in Via Dante. 9. Il suo indirizzo è: Napoli, Via Dante 48. 10. Il mio indirizzo è: ....

ESERCIZIO 71

1. Ho ricevuto una lettera per posta aerea. 2. Ha comprato una macchina nuova. 3. Abbiamo risparmiato una parte del nostro stipendio. 4. Il direttore ha mandato la sua segretaria alla banca. 5. Ho comprato due bottiglie di vino. 6. Noi abbiamo dato la mano al professore prima di andar via. 7. La signorina ha speso molto denaro per comprar i vestiti. 8. Gli impiegati hanno guadagnato 800.000 lire al mese. 9. I nostri amici ci hanno aspettati all'aeroporto. 10. Noi abbiamo domandato al professore.

ESERCIZIO 72

1. gli spagnoli 2. gli italiani 3. le italiane 4. gli americani 5. gli stessi libri 6. le stesse riviste 7. gli operai 8. gli operai italiani

ESERCIZIO 73

andare — vado, va, andiamo, vanno — Vada! — andato
venire — vengo, viene, veniamo, vengono — Venga! — venuto
entrare — entro, entra, entriamo, entrano – Entri! – entrato
uscire — esco, esce, usciamo, escono — Esca! — uscito
arrivare — arrivo, arriva, arriviamo, arrivano — (Arrivi!) — arrivato
partire — parto, parte, partiamo, partono — Parta! — partito
salire — salgo, sale, saliamo, salgono — Salga! — salito
scendere — scendo, scende, scendiamo, scendono — Scenda! — sceso
rimanere — rimango, rimane, rimaniamo, rimangono — Rimanga! — rimasto
essere — sono, è, siamo, sono — Sia! — stato
tornare — torno, torna, torniamo, tornano — Torni! — tornato

ESERCIZIO 74

1. Ieri è andato all'ufficio in macchina. 2. È arrivato all'ufficio alle 9. 3. Alle 12 sua moglie è entrata nell'ufficio. 4. Loro sono usciti insieme per andare al ristorante. 5. Sono rimasti due ore al ristorante. 6. Il ristorante è stato molto buono. 7. Poi il signor Bianchi è tornato all'ufficio. 8. Alle cinque il signor Bianchi è partito per andare a casa. 9. È sceso dal terzo piano con l'ascensore. 10. È salito sull'autobus e è andato a casa.

ESERCIZIO 75

1. Mi chiamo "Giovanni". 2. Come si chiama, signore? 3. Questi ragazzi si chiamano "Paolo" e "Luigi". 4. Come si chiama questa città? 5. Non ci chiamiamo "Bianchi".

ESERCIZIO 76

1. Sì, li chiamo per telefono. 2. Sì, le legge. 3. Sì, lo conto. 4. Sì, le scrivono. 5. Sì, li leggono.

ESERCIZIO 77

1. Essi scrivono gli articoli. 2. Essi non scrivono gli articoli. 3. Leggiamo i libri di Moravia. 4. Gli allievi leggono gli stessi libri. 5. Mettiamo le cassette in tasca. 6. Gli americani spendono molto. 7. Apriamo gli appartamenti con le chiavi. 8. Essi non aprono gli uffici.

ESERCIZIO 79

1. Sì, le ha lette. No, non le ha lette. 2. Sì, l'ha messa sul tavolo. No, non l'ha messa sul tavolo. 3. Sì, le ho comprate a Parigi. No, non le ho comprate a Parigi. 4. Sì, l'ha preso. No, non l'ha preso. 5. Sì, li abbiamo depositati in banca. No, non li abbiamo depositati in banca. 6. Sì, le ha mandate. No, non le ha mandate. 7. Sì, l'hanno guardata. No, non l'hanno guardata. 8. Sì, li hanno aperti. No, non li hanno aperti. 9. Sì, le abbiamo chiuse prima di uscire. No, non le abbiamo chiuse prima di uscire. 10. Sì, li ho aspettati all'aeroporto. No, non li ho aspettati all'aeroporto.

ESERCIZIO 80

corto vicino vecchio buono bene cattivi libero basso un altro poco finire domandare uscire mandato salire sceso prima dietro tutto molti niente qualcuno tutto più il primo gli ultimi cominciato chiudere aperto risparmiare speso ricevere

ESERCIZIO 81

1. alla, in 2. dello, nel 3. dello, alla 4. agli, della 5. nelle, dei. 6. sulle, alle 7. dall', di 8. del, sul 9. di, a 10. degli, all'

ESERCIZIO 82

1. Il suo cognome è "Federici". 2. Viene da Verona. 3. Oggi sta a Roma. 4. Oggi è il 30 maggio. 5. È impiegato. 6. No, non è francese. 7. È italiano. 8. Il nome è "Giulio Cesare". 9. Sta nella camera numero 118. 10. Sì, l'ha messa.

ESERCIZIO 83 A

1. Questi panini sono buoni. 2. Abbiamo comprato queste pere. 3. Non abbiamo mangiato quelle mele. 4. Beviamo questi bicchieri di birra. 5. Non beviamo quei bicchieri di vino. 6. Essi suonano queste canzoni. 7. Esse ascoltano quelle canzoni. 8. L'odore di quei fiori mi piace.

B

1. Quali fiori Le piacciono, questi o quelli? 2. Quali rose Le piacciono, queste o quelle? 3. Quali articoli ha letto, questi o quelli? 4. Quali riviste ha comprato, queste o quelle?

C

1. Questi studenti non studiano molto. 2. Quegli studenti studiano di più. 3. Questi occhi mi piacciono molto. 4. Quegli occhi mi piacciono di meno. 5. Questi italiani sono simpatici. 6. Quegli spagnoli sono simpaticissimi.

ESERCIZIO 84 A

1. non lo mangio. 2. non li mangio. 3. la canta. 4. le cantano. 5. l'ascoltano. 6. non li ascoltiamo. 7. non la suono. 8. essi le suonano.

B

1. gli scriviamo una lettera. 2. non le mandiamo la lettera. 3. parliamo loro. 4. le telefono. 5. gli risponde. 6. le do i fiori.

C

1. il cameriere mi porta un espresso. 2. Le porta anche un espresso. 3. Ci porta due espressi. 4. Le dico il mio nome. 5. mi dice il Suo nome. 6. mi piace la carne. 7. non mi piacciono le fragole. 8. non Le piacciono le uova.

ESERCIZIO 85

1. Sì, le violette hanno un buon odore. 2. Sì, la rosa ha un buon odore. 3. Sì, le margherite hanno odore. 4. La benzina ha un odore sgradevole. 5. Sì, le violette e le margherite sono fiori. 6. La rosa è un fiore.

ESERCIZIO 86 — 1. ho ascoltato della musica. 2. ho lavorato a casa mia. 3. abbiamo cominciato alle nove. 4. non ho telefonato molto. 5. il direttore ha comprato della frutta. 6. lui ha ordinato anche del vino. 7. non ha parlato dell'uva, ma delle uova. 8. non ho guadagnato nulla.

ESERCIZIO 87 — 1. ne mangio ogni sera. non ne mangio ogni sera. 2. noi ne mangiamo ogni venerdì. noi non ne mangiamo ogni venerdì. 3. Carlo ne prende. Carlo non ne prende. 4. ne ha preso. non ne ha preso. 5. ne ho bevuto. non ne ho bevuto. 6. ne ho comprato per berne stasera. non ne ho comprato per berne stasera. 7. ne ho ordinata per mangiarne adesso. non ne ho ordinata per mangiarne adesso.

ESERCIZIO 88 A — 1. mi fermo 2. si ferma 3. si ferma 4. si ferma 5. ci fermiamo 6. si fermano 7. si fermano 8. si fermano 9. Si fermi 10. Si fermino 11. Fermiamoci!

B — 1. mi chiamo 2. si chiama 3. si chiama 4. si chiamano

ESERCIZIO 89 — 1. il cameriere ci ha portato il menù. 2. l'abbiamo letto e poi abbiamo ordinato. 3. abbiamo chiesto una bottiglia di vino. 4. abbiamo mangiato un bel piatto di minestra. 5. ho ricevuto il conto e l'ho pagato. 6. non ho speso molto. 7. ho lasciato una piccola mancia per il cameriere. 8. non ha chiuso la porta 9. non ha messo il cappello?

ESERCIZIO 90 — 1. abbiamo già visto il cameriere. noi non abbiamo ancora visto il cameriere. 2. abbiamo già ordinato. non abbiamo ancora ordinato. 3. ho già preso l'aperitivo. non ho ancora preso l'aperitivo. 4. ho già portato il conto. non ho ancora portato il conto. 5. ho già pagato. non ho ancora pagato. 6. ho già lasciato una mancia sul tavolo. non ho ancora lasciato una mancia sul tavolo.

ESERCIZIO 91 A — 1. voglio mangiare qualche cosa. 2. vuole ordinare una minestra. 3. Apriamo la borsa perchè vogliamo pagare il conto. 4. I ragazzi ritornano a casa perchè vogliono cenare. 5. I nostri amici telefonano perchè vogliono consigliarci un albergo. 6. Andiamo perchè vogliamo chiedere una camera.

B — 1. posso leggerlo. 2. possiamo leggerlo. 3. posso ripeterla. 4. possiamo ripeterla. 5. può venire alle cinque. 6. possono venire domani.

C — 1. devo andare in città. 2. deve venire con me. 3. devono farmi vedere la città. 4. dobbiamo comprare della frutta. 5. non dobbiamo andare al cinema. 6. dobbiamo tornare prima delle otto.

ESERCIZIO 92 — 1. ho sentito il bambino, ma non l'ho visto. 2. ha fatto molto chiasso. 3. Gli ho detto di andare in giardino. 4. Lui mi ha capito molto bene e non ha detto più niente. 5. Gli ho dato il suo latte. 6. Così abbiamo fatto colazione insieme. 7. Lui ha finito di bere e non ha chiesto più niente. 8. Così ho saputo che è un bambino molto buono.

ESERCIZIO 93 — 1. lo sento ancora. non lo sento più. 2. lo fa ancora. non lo fa più. 3. c'è ancora. non c'è piu. 4. lo beve ancora. non lo beve più. 5. ne vuole ancora. non ne vuole più. 6. lo è ancora. non lo è più.

ESERCIZIO 94 — 1. La capitale dell'Italia è Roma. 2. Il Colosseo è a Roma. 3. La città di Firenze è fra Roma e Bologna. 4. Roma ha due milioni e mezzo di abitanti. 5. A Firenze. A Bologna. I romani. I napoletani. 6. Sì, gli italiani sono "il popolo dei cinque pasti." 7. No, non si mangiano patate per la prima colazione in Italia. 8. Il caffelatte si beve per la prima colazione. 9. Prima di mangiare si prende un aperitivo. 10. Gli italiani preferiscono bere vino con i pasti. 11. No, in Italia non si mette zucchero nell'insalata. 12. No, gli spaghetti non si devono tagliare con il coltello. 13. Prima di bere vino o liquore si può dire "Alla salute."

ESERCIZIO 95 A

1. Pietro è andato all'ufficio di Maria. 2. Maria ci è entrata prima di lui. 3. Pietro e Maria sono stati in ufficio. 4. I due direttori sono arrivati in ritardo. 5. Uno è rimasto, ma l'altro è uscito subito. 6. Egli ha preso l'ascensore ed è sceso. 7. Due signore sono scese con lui. 8. La segretaria ha bussato alla porta ed è entrata. 9. Ha lasciato delle lettere sulla scrivania e poi è uscita. 10. Alle dodici e trenta tutti sono usciti per andare a pranzo. 11. Quando hanno finito, hanno pagato e sono tornati in ufficio. 12. Le due segretarie del signor Bianchi oggi non sono uscite prima delle sei.

B

1. Lei si è seduta. Maria si è seduta. Ci siamo seduti. Essi si sono seduti. 2. Il treno si è fermato. La macchina non si è fermata. Tutti gli autobus si sono fermati. Le due automobili non si sono fermate.

ESERCIZIO 96

1. l'ho sentito. 2. non l'ho sentita. 3. l'ha sentita. 4. l'ha visto. 5. le ho ascoltate. 6. l'abbiamo bevuta. 7. li abbiamo mangiati. 8. l'hanno ordinata. 9. l'ha lasciata. 10. li ha comprati. 11. non le ha capite. 12. le ho scritte bene.

ESERCIZIO 97 A

1. posso comprarla stasera. la posso comprare stasera. 2. voglio mangiarne. ne voglio mangiarne. 3. non voglio mangiarle. non le voglio mangiare. 4. posso berlo. lo posso bere. 5. non vorrei prenderlo a casa. non lo vorrei prendere a casa. 6. si può ordinarne. se ne può ordinare. 7. non vogliamo ancora cominciarla. non la vogliamo ancora cominciare. 8. dobbiamo aspettarli. li dobbiamo aspettare. 9. non possiamo mangiarne. non ne possiamo mangiare. 10. si deve pagarlo. lo si deve pagare.

B

1. posso darLe il mio indirizzo. Le posso dare il mio indirizzo. 2. può darmi il Suo passaporto. mi può dare il Suo passaporto. 3. voglio consigliargli un albergo. gli voglio consigliare un albergo. 4. voglio dirle il nome dell'albergo. le voglio dire il nome dell'albergo. 5. si deve mandarci il conto. ci si deve mandare il conto. 6. possono parlare con loro. possono parlar loro. 7. si può lasciarle questo biglietto. le si può lasciare questo biglietto. 8. si deve chiedergli del denaro. gli si deve chiedere del denaro.

ESERCIZIO 98

Il primo dettato

1. Il signor Pieri è andato alla stazione. 2. Lui vuole prendere il treno per Milano. 3. Ma Pieri ha dimenticato il suo denaro. 4. Lui non ha nemmeno una lira in tasca. 5. La signora Pieri ha mandato qualcuno con 10.000 lire. 6. Buon viaggio, signore!

ESERCIZIO 99

1. Voglio che Pietro mi telefoni stasera. 2. Il direttore vuole che la signorina scriva la lettera. 3. Lei vuole che io non venga domani. 4. Voglio che Lei non dimentichi la chiave. 5. Lei vuole che io parli italiano. 6. Il professore vuole che Lei faccia quest'esercizio. 7. Il Sig. Pieri vuole che il ragazzo vada via. 8. Voglio che il cameriere aspetti un momento. 9. Il cameriere vuole che io guardi il menù. 10. Lei vuole che il cameriere Le porti un bicchiere di vino.

ESERCIZIO 100

1. Sì, la sveglia suona in questo momento. 2. Suona alle sette. 3. No, la signorina Maria non si è svegliata. 4. No, la signorina Maria non si alza subito. 5. Sì, deve alzarsi alle sette. 6. Si alza alle sette e quindici (sette e un quarto).

7. No, Maria non fa colazione a letto. 8. Sì, si è alzata per fare colazione. 9. Fa colazione alle otto e un quarto. 10. Il suo lavoro comincia alle otto e trenta (otto e mezzo). 11. Arriva in ufficio alle otto e quaranta. 12. Arriva in ritardo. 13. Pietro ha dei fiori in mano. 14. Lui aspetta la signorina stessa. 15. Adesso sono le due meno cinque. 16. In un mezz'ora ci sono trenta minuti. 17. Pietro ha aspettato più di trenta minuti. 18. Sì, le dà i fiori lo stesso. 19. No, il tram non arriva alle due meno un quarto. 20. La signorina sale sul tram alle tre meno cinque. 21. Il tram va alla Stazione Termini. 22. La banca apre alle nove. 23. No, non è aperta per otto ore. 24. No, non si può entrare in banca dopo le tre.

ESERCIZIO 101

1. vuole 2. vogliono 3. vuole 4. vuole 5. vogliono, vuole 6. vogliono

ESERCIZIO 102

1. ci ho messo un'ora per tornare a casa. 2. sono andato a letto alle otto. 3. ho dormito dieci ore. 4. sono restato a letto quando ho sentito la sveglia. 5. mi sono alzato molto tardi. 6. sono rimasto a casa fino a mezzogiorno.

ESERCIZIO 103

Il secondo dettato
1. Mi dica, per favore, che ore sono. 2. Sono le due meno cinque. 3. A che ora chiudono le banche in questa città? 4. Alle tre e mezzo. 5. Allora c'è molto tempo. 6. Voglio cambiare questo assegno.

ESERCIZIO 104

1. I miei genitori si sono svegliati prima di me. 2. Poi, dopo di loro, si sono svegliate le mie sorelle. 3. La mia famiglia si è alzata presto. Noi tutti ci siamo alzati presto. 4. Poi tutti sono andati in bagno. Si sono lavati subito perchè era tardi. 5. Ma le mie sorelle si sono vestite molto lentamente. 6. Io, al contrario, mi sono lavato in due minuti e mi sono vestito subito. 7. Le mie sorelle si sono divertite a tavola, ma io non mi sono divertito con loro. 8. Finalmente, dopo colazione, ci siamo alzati e siamo usciti.

ESERCIZIO 105

1. aprirà la porta e accenderà la luce. 2. lei andrà nel bagno a lavarsi. 3. si laverà le mani. 4. si toglierà i vestiti da lavoro. 5. si metterà un vestito elegante. 6. spegnerà la luce ed uscirà; andrà a cena fuori. 7. la sua cena comincerà con la minestra; berrà un quarto di vino. 8. non avrà molta fame e non mangerà nè carne nè pesce. 9. finirà la cena con un po' di frutta. 10. tornerà a casa e andrà a letto subito.

ESERCIZIO 106

svegliarsi — mi sveglierò, si sveglierà, ci sveglieremo, si sveglieranno
alzarsi — mi alzerò, si alzerà, ci alzeremo, si alzeranno
pulirsi — mi pulirò, si pulirà, ci puliremo, si puliranno
vestirsi — mi vestirò, si vestirà, ci vestiremo, si vestiranno
mettersi — mi metterò, si metterà, ci metteremo, si metteranno

ESERCIZIO 107

corto
vicino
vecchio
cattivo
bene
peggiore
meglio
tardi
uguale
poco
molti

chiaro
spegnere
acceso
levarsi
ovest
nord
sporcare
pulito
mettere
togliersi

finire
domandare (chiedere)
risposta
uscire
entrata
salire
sceso

niente (nulla)
qualcuno (tutti)
il tutto
più
il primo
gli ultimi
mai

ESERCIZIO 108

Il terzo dettato

1. Questa lampada non è buona. 2. Non c'è luce nel mio ufficio. 3. Non ci vedo nulla, è troppo buio qui. 4. Perchè non ha telefonato a quelli della luce? 5. Non ci posso lavorare.

ESERCIZIO 109

1. aveva 2. era 3. andava 4. guadagnava 5. passava

ESERCIZIO 110

1. I grandi laghi italiani sono nelle Alpi. 2. Il grande lago fra il Lago Maggiore e il Lago di Garda si chiama Lago di Como. 3. Rimini è più lontana da Palermo. 4. C'è un'antica Università a Bologna. 5. Palermo è in Sicilia. 6. Il Vesuvio è vicino a Napoli. 7. Molti italiani vanno in Riviera d'estate. 8. *L'ultima cena,* il capolavoro di Leonardo, è a Milano. 9. No, non si possono comprare fiammiferi e sigarette negli alberghi e nei ristoranti in Italia. 10. Sì, l'Italia fa parte del Mercato Comune. 11. FIAT vuol dire *F*abbrica *I*taliana di *A*utomobili, *T*orino.

ESERCIZIO 111

Il quarto dettato

1. Che cosa si può fare in estate? 2. Si può andare al mare. 3. La spaggia di Rimini è bellissima. 4. Non mi piace fare i bagni. 5. Preferisco fare passeggiate in campagna o in montagna.

ESERCIZIO 112

1. Sì, lo vedo. 2. Sta uscendo. 3. Sì, lui ha le scarpe asciutte. 4. No, le sue scarpe non sono ancora bagnate. 5. Sì, lui è uscito in strada. 6. No, le sue scarpe non sono più asciutte. 7. Piove molto. 8. Sì, quando piove così forte le scarpe si bagnano subito. 9. No, il ragazzo non è più fuori. 10. Sì, è caldo in questa stanza. 11. Si mette la scarpa sinistra. 12. L'altra scarpe è accanto al termosifone.

ESERCIZIO 113 A

1. Dieci gradi centigradi sono cinquanta gradi Fahrenheit. 2. Sì, quando la temperatura è sotto zero fa molto freddo. 3. No, non fa freddo quando abbiamo diciotto gradi sopra zero. 4. Oggi ci sono ventidue gradi centigradi. 5. No, non ci vuole l'aria condizionata quando fa fresco fuori. 6. Il termometro è salito.

ESERCIZIO 114 A

1. piove; pioverà. 2. sono raffreddato, ma esco lo stesso. sarò raffreddato, ma uscirò lo stesso. 3. fa freddo fuori, ma dentro si sta bene. farà freddo fuori, ma dentro si starà bene. 4. mi sono messo il cappotto pesante. mi metterò il cappotto pesante.

B

1. . . . , ma in questo momento sto leggendo. 2. . . . , ma in questo momento stanno fumando. 3. . . . , ma in questo momento stiamo bevendo. 4. . . . , ma in questo momento stiamo bevendo whiskey. 5. . . . , ma in questo momento sta giocando a carte. 6. . . . , ma in questo momento sta studiando. 7. . . . , ma in questo momento stanno discutendo di politica. 8. . . . , ma in questo momento sto lavorando nel giardino. 9. . . . , ma in questo momento sta cantando. 10. . . . , ma in questo momento stiamo aspettando il postino.

ESERCIZIO 115

Il quinto dettato

1. Di solito non piove in autunno. 2. C'è sole e fa abbastanza caldo. 3. Perchè non vuole uscire con noi? 4. Ho troppo da fare e non sto molto bene. 5. Mi dispiace tanto. 6. Forse un'altra volta.

ESERCIZIO 116

1. Non vado mai a vedere gli ultimi film italiani. 2. Domani non farò niente d'interessante. 3. Non andrò a vedere l'ultimo film di Fellini e neanche quello di Antonioni. 4. I loro film non sono mai interessanti. 5. Questi film non sono mai facili da comprendere. 6. Di solito non c' è nessuno che li capisce molto bene. 7. Non c' è nulla per nessuno in questi film. 8. Non ci sarà niente per nessuno nemmeno in questi ultimi film.

ESERCIZIO 117

1. No, la strada non va a sinistra. 2. La strada va a destra. 3. È meglio andare piano. 4. È vietato sorpassare un'altra macchina in curva. 5. Sì, posso andare a cinquanta chilometri all'ora. 6. No, non si può andare a cinquanta miglia. 7. Sì, si può andare a meno di cinquanta chilometri. 8. No, non è permesso lasciare la macchina vicino a questo segnale. 9. No, non è vietato lasciare la macchina qui tra le ventidue e le otto. 10. Il parcheggio vicino a questo segnale è vietato.

ESERCIZIO 118

1. Sofia li ha visti. Sofia ne ha visti venti. 2. Non le ha sentite. Non ne ha sentite venti. 3. Noi l'abbiamo salutata. Ne abbiamo salutate due. 4. La signorina non l'ha comprata. Non ne ha comprate. 5. L'ha noleggiata. Non ne ha noleggiate tre. 6. Le ha portate nella sua macchina. Ne ha messa una nel bagagliaio della sua macchina. 7. L'ha lasciata vicino al segnale di parcheggio. Ne abbiamo lasciate altre tre vicino alla prima. 8. Carlo l'ha aspettata. Non ne ha aspettate due.

ESERCIZIO 119

Il sesto dettato
1. Vorrei andare in centro. 2. Vada diritto e poi prenda la terza strada a sinistra. 3. Lei vedrà la fermata del tram. 4. Prenda il numero sette e scenda all'ultima fermata. 5. Lei è molto gentile. Mille grazie.

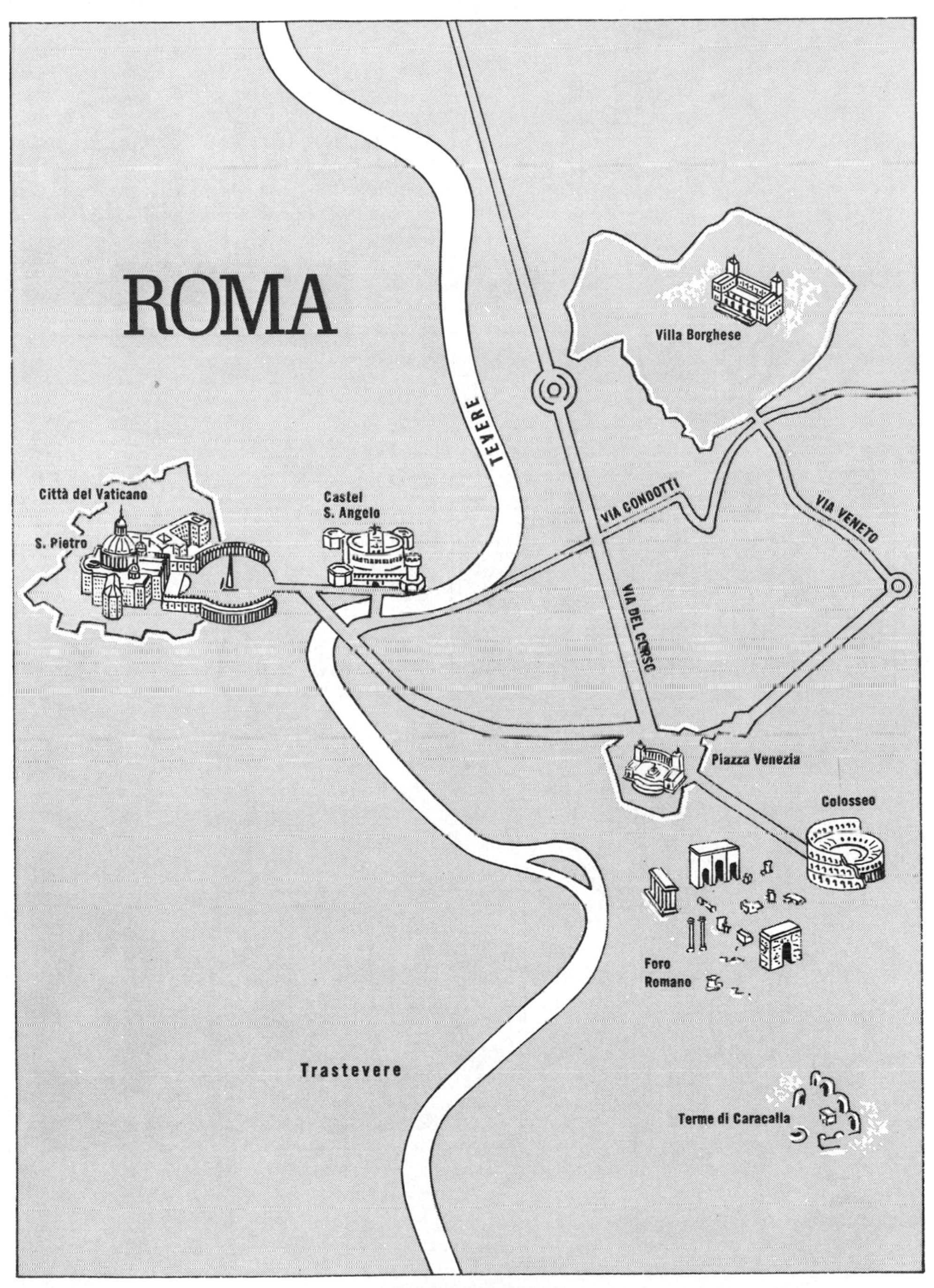

PIANTA DI ROMA

MONETA ITALIANA

PROGRAMMA DI NASTRI

Nastro Numero 1

Che cosa è questo? È il nastro questo? Risponda! Sì, . . .	Sì, questo è il nastro. Ripeta!
È il nastro numero 2 questo?	No, questo non è il nastro numero 2.
Quale nastro è?	È il nastro numero 1.
È corto il nastro? No, . . .	No, il nastro non è corto. Ripeta!
Com'è il nastro, corto o lungo?	Il nastro è lungo.

(telefono)

Ah, il telefono. Risponda! Che cosa è?	È il telefono. Ripeta!

(porta)

E questo. È questo il telefono?	No, questo non è il telefono.
È la porta? Sì, . . .	Sì, è la porta.
Qual è grande, la porta o il telefono?	La porta è grande.
E qual'è piccolo?	Il telefono è piccolo.
Molto bene.	

Ascolti!

— *Sigaretta, signorina?*
— *Sì. Grazie.*

(sigaretta)

Risponda! Cosa è, il sigaro o la sigaretta?	È la sigaretta. Ripeta!
Sì, la sigaretta. Ma, di che colore è la sigaretta? È rossa la sigaretta?	No, la sigaretta non è rossa.
Di che colore è la sigaretta?	La sigaretta è bianca.
E di che colore è il sigaro?	Il sigaro è marrone.

(fiammifero)

E questo. Che cosa è, il fiammifero?	Sì, questo è il fiammifero.
Com'è il fiammifero, lungo o corto?	Il fiammifero è corto.
E com'è la sigaretta, lunga o corta?	La sigaretta è lunga.

Ripeta! Il fiammifero è corto.
La sigaretta è lunga.

Risponda! È lungo o corto il sigaro?	Il sigaro è lungo.
È lungo o corto il nastro?	Il nastro è lungo.

(chiave)

Che cosa è questo? È il telefono o la chiave?	È la chiave.
Com'è la chiave? È lunga e grande la chiave?	No, la chiave non è lunga e grande.

Com'è la chiave?	La chiave è corta e piccola.
E com'è l'Italia?	L'Italia è lunga e grande.

Ascolti!

— *Vino, signorina?*
— *Oh sì, grazie.*

(vino)

Risponda! È caffè questo?	No, questo non è caffè.
È latte questo?	No, questo non è latte.
Che cosa è, latte o vino?	È vino.

Ascolti!

— *Ma questo vino non è rosso.*
— *No, signorina. Questo vino è bianco.*

Risponda! È rosso questo vino?	No, questo vino non è rosso.
Di che colore è questo vino?	Questo vino è bianco.
È bianco il caffè?	No, il caffè non è bianco.
Di che colore è il caffè?	Il caffè è nero.
	Il caffè espresso è nero.
E di che colore è il latte?	Il latte è bianco.
E il caffelatte. Di che colore è?	Il caffelatte è marrone. Ripeta!
Bene.	

Ripeta! il vino
la sigaretta

Il o la? Che cosa è corretto?

vino — il o la?	il vino
sigaretta?	la sigaretta
sigaro?	il sigaro
scatola?	la scatola
fiammifero?	il fiammifero
tavolo?	il tavolo
sedia?	la sedia
porta?	la porta
chiave?	la chiave
telefono?	il telefono
microfono?	il microfono
cassetta?	la cassetta
libro?	il libro
giornale?	il giornale
rivista?	la rivista

Benissimo.

Ripeta, per favore! a — e — i — o — u

a
la
pagina
La pagina è bianca.

è
bene
caffè
È un caffè espresso.
Bene, signore! Un caffè espresso.

e
che
tre
la sedia nera

i
sì
il vino
il vino italiano

o
no
Che cosa?
Quella porta?

o
corto
molto corto

u
uno
numero uno
Uno è molto lungo.

Ascolti!

(musica italiana)

Che cosa è questo? Risponda!
È musica? Sì, . . . — Sì, è musica.
È musica americana? — No, non è musica americana.
Che cosa è, musica americana o musica italiana? — È musica italiana.
Ma com'è? Risponda! È bella? — Sì, è bella.
È bella la musica? — Sì, la musica è bella.
E il nastro? È bello il nastro? — Sì, il nastro è bello.

Oh, grazie, grazie!
Va bene.
Il nastro è bello.

Ora ascolti questa conversazione!
Ascolti e ripeta!

— *Una sigaretta, signorina?*
— *Sì, grazie.*
— *Vino?*
— *Oh sì, grazie. Ma, questo vino non è rosso.*
— *No, signorina. Questo vino è bianco.*

Sì, questo vino è bianco.
E questo nastro, il nastro numero 1, è finito.

Arrivederci e grazie.

Nastro Numero 2

Ascolti!

— *Per favore, signore, il nastro! Il nastro, per favore!*
— *Quale nastro, signorina?*
— *Il nastro numero 2.*

Risponda! Che cosa è questo? È un nastro di francese? — No, non è un nastro di francese.
Che cosa è? — È un nastro d'italiano.

Ascolti!

(città italiana)

Che cosa è, una città? — Sì, è una città.
È una città americana? — No, non è una città americana.
È una città francese? — No, non è una città francese.
Che cosa è? — È una città italiana.

Ascolti!

— *Scusi, signore! Quale città è questa?*
— *Ma è Roma, signora. Questa è Roma.*

Risponda! È Roma questa? — Sì, questa è Roma.
Che cosa è Roma? È un fiume Roma? — No, Roma non è un fiume.
È un paese o una città Roma? — Roma è una città.
È una città americana Roma? — No, Roma non è una città americana.
Che cosa è Roma? — Roma è una città italiana.
È una piccola città italiana Roma? — No, Roma non è una piccola città italiana.
Che cosa è Roma? — Roma è una grande città italiana.
È una grande città italiana Pisa? — No, Pisa non è una grande città italiana.
Che cosa è Pisa? — Pisa è una piccola città italiana.

E Milano? — Milano è una grande città italiana.
Bene.

Ascolti!

— *Questa città è Roma, signora. E questa strada è Via Veneto.*
— *Ah, sì, signore, Via Veneto.*

Risponda! È in Italia Via Veneto? — Sì, Via Veneto è in Italia.
È a Pisa? — No, non è a Pisa.
In quale città è? — È a Roma.
È un'autostrada Via Veneto? — No, Via Veneto non è un'autostrada.
Che cosa è Via Veneto? — Via Veneto è una strada.
È una strada a Pisa o a Roma? — È una strada a Roma.
È lunga o corta? — È lunga.
E il Corso, com'è? — Il Corso è lungo.
Qual'è una strada corta, Via Condotti o il Corso? — Via Condotti è una strada corta.

Ascolti!

— *Oh, un fiume!*
— *Sì, signora, è il Tevere.*
— *Ma questo fiume non è blu. È giallo!*

Risponda! Che cosa è il Tevere? Una strada o un fiume? — Il Tevere è un fiume.
È corto il Tevere? No, . . . — No, non è corto.
Com'è? — È lungo.
Di che colore è? — È giallo.
È un fiume corto e blu? — No, non è un fiume corto e blu.
Che cosa è? — È un fiume lungo e giallo.

Ascolti!

— *Scusi signore, l'Arno, di che colore è?*
— *Bè, a Pisa l'Arno è giallo-verde.*

Risponda! Che cosa è l'Arno? — L'Arno è un fiume.
È un fiume blu? — No, non è un fiume blu.
Di che colore è l'Arno? — L'Arno è giallo-verde.
L'Arno a Pisa è giallo-verde? — Sì, l'Arno a Pisa è giallo-verde.
Bene.

Ripeta! un fiume
una strada

Che cosa è corretto, un o una?

strada — un o una? — una strada
fiume? — un fiume
città? — una città
paese? — un paese
cappello? — un cappello

macchina? — una macchina
cane? — un cane
vestito? — un vestito

Molto bene. Benissimo!

Ripeta, per favore! a — e — i — o — u

Ripeta! a — e — i — o — u

a — e — e pae-se
un paese

e — u Europa Europa
Questo paese non è in Europa.

e — i sei

i — e dieci
Sei non è dieci.
E dieci non è sei.

Ripeta! i — a pianta

u — a quale

u — e questo
Quale pianta? Questa.
Quale paese? Questo.

Benissimo!

Ascolti, per favore!

— *Scusi, signorina! È la Signorina Lollobrigida Lei?*
— *Chi? Io? No, no, non sono la Signorina Lollobrigida.*

Risponda! E Lei! È Lei la Signorina Lollobrigida? — No, non sono la Signorina Lollobrigida.
È la Signora Bianchi Lei? — No, non sono la Signora Bianchi.
È il Signor Toscanini? — No, non sono il Signor Toscanini.
Allora, chi è Lei? Risponda!
Ah . . . bene! Benissimo!

Ora, ascolti!
Ascolti questa conversazione e ripeta!
Ascolti e ripeta!

— *Scusi, signore, quale città è questa?*
— *Ma questa è Roma.*
— *E questa! È Via Veneto?*
— *Sì, Via Veneto.*
— *E quella! Che cosa è?*
— *È l'autostrada.*

— *Sì, ma quale autostrada?*
— *Ma, è l'autostrada Roma-Milano.*
— *È lunga l'autostrada Roma-Milano?*
— *E come, un'autostrada lunga lunga.*

Molto bene. L'autostrada è lunga.
E questo nastro, il nastro numero 2, è finito.

Grazie e arrivederci.

Nastro Numero 3

Risponda, per favore! Quale nastro è questo? È il nastro numero 4? — No, non è il nastro numero 4.
È il nastro numero 5 o il nastro numero 3? — È il nastro numero 3.
Bene.

È nella cassetta questo nastro? — Sì, questo nastro è nella cassetta.
È davanti a Lei questo nastro? — Sì, questo nastro è davanti a me.
È dietro di Lei il magnetofono? — No, il magnetofono non è dietro a me.
Dov'è il magnetofono? — Il magnetofono è davanti a me.
Molto bene.

Sono il professore io? — Sì, Lei è il professore.
Sono il Suo professore? — Sì, Lei è il mio professore.
Sono il Suo professore d'inglese? — No, non è il mio professore d'inglese.
Allora, che cosa sono? — È il mio professore d'italiano.

Bene. Molto bene.

Ascolti!

Ah, Roma! Roma! Risponda! È una città questa? — Sì, questa è una città.
È la città di Napoli? — No, non è la città di Napoli.
Quale città è? — È la città di Roma.
Bene.

Ripeta! Io sono a Roma.
Anche Lei è a Roma.

Risponda! Sono a Roma io? Sì, . . . — Sì, Lei è a Roma.
Sono a Roma con Lei? Sì, . . . — Sì, è a Roma con me.
È a Roma anche Lei? Sì, . . . — Sì, anch'io sono a Roma.
È a Roma con me? Sì, . . . — Sì, sono a Roma con Lei.
Bene.

Ecco un bar. È il bar della stazione a Roma.
Io sono seduto nel bar. E anche Lei è seduta nel bar.

Risponda! Sono nel bar io? — Sì, Lei è nel bar.
Sono seduto nel bar? — Sì, è seduto nel bar.
Sono seduto nel bar con Lei? Sì, . . . — Sì, è seduto nel bar con me.
Ah, anche Lei è nel bar? Sì, . . . — Sì, anch'io sono nel bar. Ripeta!

Ascolti!

Sul tavolo c'è un bicchiere di vino.
Risponda! Dov'è il vino, davanti a me? Sì, . . . — Sì, il vino è davanti a Lei.
È davanti a me sul tavolo? — Sì, è davanti a Lei sul tavolo.

Ascolti!

Sul tavolo c'è anche una tazza di caffè.
Ma non è il mio caffè. È il Suo caffè.
Risponda! Dov'è il caffè? È davanti a me? — No, non è davanti a Lei.
Davanti a chi è? — Il caffè è davanti a me.

Ma ascolti questo!

(cane)

Cosa c'è sotto questo tavolo?
Risponda! Sotto . . . — Sotto questo tavolo c'è un cane.
Che? C'è un cane nel bar? — Sì, c'è un cane nel bar.
È seduto per terra sotto il tavolo? — Sì, è seduto per terra sotto il tavolo.
È il Suo cane questo? No, . . . — No, questo non è il mio cane.

(caffè)

È il Suo caffè questo? Sì, . . . — Sì, questo è il mio caffè.

Ascolti!

(treno)

Che cosa è questo? — È un treno.
È nella stazione il treno? — Sì, il treno è nella stazione.
È nella stazione di Napoli? — No, non è nella stazione di Napoli.
In quale stazione è? — È nella stazione di Roma.
Bene.

Ascolti!

(nave)

È un treno questo? — No, questo non è un treno.
Che cosa è? — È una nave.
C'è un porto a Roma? No, . . . — No, non c'è un porto a Roma.
Dove c'è un porto, a Roma o a Napoli? — C'è un porto a Napoli.
Dov'è la nave, a Roma o a Napoli? — La nave è a Napoli.
È nel porto di Napoli quella nave, vero? — Sì, quella nave è nel porto di Napoli.

È nel porto di Napoli questo cane? No, . . .
No, non è nel porto di Napoli questo cane.
È nel porto di Napoli Lei?
No, non sono nel porto di Napoli nemmeno io.

(stazione)

Dov'è Lei, nel porto di Napoli o alla stazione di Roma?
Io sono alla stazione di Roma.
Lei è nel bar della stazione, vero?
Sì, sono nel bar della stazione.
Bene.

Ascolti!

(aereo)

È un treno questo?
No, questo non è un treno.
È una nave?
No, non è nemmeno una nave.
Che cosa è?
È un aereo.

Ripeta! Questo aereo è all'aeroporto.

Ripeta! a — e — e — o

a — e — re — o aereo
aeroporto

È all'aeroporto.

Risponda! Dov'è l'aereo?
L'aereo è nell'aeroporto.
Dov'è la nave? All'aeroporto o al porto?
La nave è al porto.
Dov'è il treno?
Il treno è nella stazione.
Dov'è la macchina? Al porto o al parcheggio?
La macchina è al parcheggio.
Dov'è la sigaretta, nella scatola o nel pacchetto?
La sigaretta è nel pacchetto.
Dov'è il professore, in ufficio o nella scuola?
Il professore è nella scuola.
Chi è nell'ufficio, il direttore o il professore?
Il direttore è nell'ufficio.
Dov'è il nastro, dietro a Lei o davanti a Lei?
Il nastro è davanti a me.
Quale nastro? Il nastro numero 3?
Sì, il nastro numero 3.
È lungo questo nastro?
Sì, questo nastro è lungo.
Benissimo.

Questo nastro è lungo e questo nastro, il nastro numero 3, è finito.

ArrivederLa, signore.
ArrivederLa, signora.
ArrivederLa, signorina.

ArrivederLa e grazie.

Nastro Numero 4

Risponda, per favore! Che cosa fa Lei? Ascolta un nastro Lei? Sì, . . .	Sì, ascolto un nastro.
Quale nastro ascolta?	Ascolto il nastro numero 4.
Molto bene.	
Ripeta! "Ascoltare" è un verbo.	
Io ascolto.	
Lei . . .? Risponda! Lei . . .	Lei ascolta. Ripeta!
Per favore . . .	Per favore, ascolti!
Un altro verbo: "prendere"	
Io . . .	Io prendo.
Lei . . .	Lei prende.
Per favore . . .	Per favore, prenda!
Il verbo "aprire"	
Io . . .	Io apro.
Lei . . .	Lei apre.
Per favore . . .	Per favore, apra!
Il verbo "chiudere"	
Io . . .	Io chiudo.
Lei . . .	Lei chiude.
Per favore . . .	Per favore, chiuda!
Benissimo! Facciamo un altro verbo.	
Il verbo "entrare"	
Io . . .	Io entro.
Lei . . .	Lei entra.
Per favore . . .	Per favore, entri!
Poi il verbo "andare"	
Io . . .	Io vado.
Lei . . .	Lei va.
Per favore . . .	Per favore, vada!
Adesso il verbo "venire"	
Io . . .	Io vengo.
Lei . . .	Lei viene.
Per favore . . .	Per favore, venga!

Ascolti!

Ecco un signore e una signora al bar. Al bar della stazione.
Ecco il Signor Melzi con la Signora Righini.
Viene una signorina. È la signorina del bar.

— *Buon giorno, Signor Melzi. Prende un caffè, signore?*
— *Sì, grazie.*
— *E Lei, Signora Righini?*
— *Ecco. Prendo un caffè anch'io.*

Risponda! È a casa il Signor Melzi?	No, il Signor Melzi non è a casa.
È all'hotel?	No, non è nemmeno all'hotel.
Dov'è?	È al bar.
È al bar del porto?	No, non è al bar del porto.
È al bar dell'hotel?	No, non è nemmeno al bar dell'hotel.
Dov'è?	È al bar della stazione.
C'è un ragazzo con lui?	No, non c'è un ragazzo con lui.
Chi c'è con lui?	C'è una signora con lui.
Chi è questa signora, la Signora Bianchi o la Signora Righini?	È la Signora Righini.

Ascolti!

— *Allora, un caffè per Lei Signor Melzi, e anche un caffè per la signora.*
— *Ecco, grazie, signorina.*

Risponda! Prende una birra il Signor Melzi?	No, il Signor Melzi non prende una birra.
Che cosa prende, vino o caffè?	Prende caffè.
Lo prende con la signora?	Sì, lo prende con la signora.
Lo prende seduto o in piedi?	Lo prende seduto.
Lo prende seduto al tavolo del bar, vero?	Sì, lo prende seduto al tavolo del bar.

Ascolti!

— *Allora, anche un caffè per la signora?*
— *Ecco. Prendo un caffè anch'io.*

Risponda! Prende tè la Signora Righini?	No, non prende tè.
Che cosa prende?	Prende caffè.
Un bicchiere di caffè o una tazza di caffè?	Una tazza di caffè.
Prende una tazza di caffè al bar?	Sì, prende una tazza di caffè al bar.
E Lei! Prende una tazza di caffè anche Lei? No, . . .	No, io non prendo una tazza di caffè.
Dove lo prende Lei il caffè, al bar o a casa Sua?	Io lo prendo a casa mia.
Dove lo prende il Signor Melzi?	Il Signor Melzi lo prende al bar.
Bene.	

Ascolti!

— *Ecco il Suo caffè, signora.*
— *Grazie, signorina.*
— *E il Suo, Signor Melzi.*
— *Molte grazie, signorina.*

Risponda! Chi viene? La signorina del bar?	Sì, viene la signorina del bar.
Viene con l'acqua la signorina?	No, la signorina non viene con l'acqua.
Viene con il vino?	No, non viene con il vino.
Con che cosa viene?	Viene con il caffè.

Ascolti!

— *Signora, al cinema c'è un buon film. Viene al cinema con me, Signora Righini?*
— *Oh sì. Grazie, Signor Melzi.*

Risponda! Che cosa fa il Signor Melzi?

Va a casa?	No, non va a casa.
Dove va?	Va al cinema.
Va al cinema con la signorina del bar?	No, non va al cinema con la signorina del bar.
Con chi va al cinema?	Va al cinema con la Signora Righini.
Che c'è al cinema, un buon film?	Sì, c'è un buon film al cinema.

Ascolti!

— *È lunga questa strada, non è vero?*
— *Sì, è molto lunga.*
— *Due biglietti, per favore.*
— *Ecco signore. Due biglietti. Ma il cinema apre alle 11.*
— *Va bene, alle 11. Allora Signora Righini, ritorna con me alle 11?*
— *Sì, ritorno con Lei, ma per piacere, con un tassì.*

Risponda! Ritorna a piedi la Signora Righini?	No, non ritorna a piedi.
Ritorna con l'autobus?	No, non ritorna nemmeno con l'autobus.
Come ritorna?	Ritorna con un tassì.
A che ora ritorna?	Ritorna alle 11.

Ora ascolti questa conversazione!
Ecco il Signor Melzi con la Signora Righini al bar della stazione.
Ascolti e ripeta!

— *Prende un caffè, Signor Melzi?*
— *Sì, grazie.*
— *E Lei, Signora Righini?*
— *Prendo un caffè anch'io.*
— *Ecco il Suo caffè, signora. E il Suo, Signor Melzi.*
— *Signora, al cinema c'è un buon film. Viene al cinema con me?*
— *Oh sì, grazie.*
— *È lunga questa strada, non è vero?*
— *Sì, è molto lunga.*
— *Due biglietti, per favore.*
— *Ecco due biglietti, signore. Ma il cinema apre alle 11.*
— *Va bene. Alle 11. Allora, Signora Righini, ritorna con me alle 11?*
— *Sì, ritorno con Lei, ma per piacere, con un tassì.*

Molto bene. Benissimo!

Il nastro numero 4 è finito.

ArrivederLa, Signora Righini!
ArrivederLa, Signor Melzi!

ArrivederLa e grazie.

Nastro Numero 5

1, 2, 3, 4, 5. Che cosa faccio? Conto?	Sì, conta.
Conto da 1 a 5?	Sì, conta da 1 a 5.
Per favore, conti da 6 a 10!	6, 7, 8, 9, 10.
Che cosa fa Lei?	Conto da 6 a 10.
Bene, bene.	
Ripeta! 5 più 5 fanno 10.	5 più 5 fanno 10.
Quanto fanno 10 più 6?	10 più 6 fanno 16.
Quanto fanno 16 più 4?	16 più 4 fanno 20.
Quanto fanno 20 meno 5?	20 meno 5 fanno 15.
Quanto fanno 15 meno 8?	15 meno 8 fanno 7.
E quanto fanno 7 meno 7?	7 meno 7 fanno zero.
Ascolti!	
Ecco tre biglietti. Un biglietto, due biglietti, tre biglietti. Che cosa conto?	Conta i biglietti.
Un nastro, due nastri, tre nastri. Che cosa conto?	Conta i nastri.
Una cassetta, 2, 4, 6 cassette. Che cosa faccio?	Conta le cassette.
Quante cassette ci sono sul tavolo?	Ci sono sei cassette sul tavolo.
Quanti nastri ci sono?	Ci sono sei nastri.
Ci sono due magnetofoni?	No, non ci sono due magnetofoni.
Quanti magnetofoni ci sono?	C'è un magnetofono.
Benissimo!	
Ripeta! Questo libro italiano costa 3.000 lire. Quanto costano due libri italiani?	Due libri italiani costano 6.000 lire.
E tre libri italiani?	Tre libri italiani costano 9.000 lire.
Ripeta! Un libro francese costa 30 franchi. E due libri francesi?	Due libri francesi costano 60 franchi.
60 franchi francesi o 60 franchi svizzeri?	60 franchi francesi.

Bene. Molto bene.

Ora, un po' di grammatica.
Che cosa è corretto, il o la?

libro — il o la?	il libro
nastro?	il nastro
E il plurale?	i nastri
telefono?	il telefono
Plurale?	i telefoni
Bene.	
cassetta — il o la?	la cassetta
Plurale?	le cassette
tazza?	la tazza
Plurale?	le tazze
Benissimo!	
Ora, ripeta! il professore	
E il plurale?	i professori
la lezione	
Plurale?	le lezioni
lo studente	
Plurale?	gli studenti
l'italiano	gli italiani
il vino	i vini
il vino italiano	i vini italiani
Il vino italiano è buono.	I vini italiani sono buoni.
Il vino italiano è rosso o bianco.	I vini italiani sono rossi o bianchi.
Bene.	

Adesso, basta!
Basta con i vini!
Basta con la grammatica!

Ora, ascolti!

(città)

È Roma questa?	Sì, è Roma.
Sono a Roma io?	Sì, Lei è a Roma.
E Lei! È Lei con me? Sì, . . .	Sì, sono con Lei.
È con me a Roma Lei? Sì, . . .	Sì, sono a Roma con Lei.
Molto bene.	

— *Ecco la mia casa.*

Risponda! Dov'è la mia casa? A Milano?	No, la Sua casa non è a Milano.
Dov'è?	È a Roma.
E la Sua casa, dov'è?	
Bene.	

— *In questa casa c'è la mia famiglia.*

Risponda! C'è anche la Sua famiglia in questa casa? — No, non c'è la mia famiglia in questa casa.
Che famiglia c'è in questa casa? — In questa casa c'è la Sua famiglia.
Bene.

— *Ecco la mia macchina. Per favore, entri! Venga con me a Milano.*

Risponda! Entra Lei? — Sì, io entro.
Viene con me? — Sì, vengo con Lei.
Viene con me a Milano? — Sì, vengo con Lei a Milano.

— *Ecco la carta d'Italia. La prenda, per favore! Ecco, grazie.*

Risponda! La prende Lei? — Sì, la prendo.
La mette in tasca? — No, non la metto in tasca.
Ecco. C'è il Tevere sulla carta? — Sì, c'è il Tevere sulla carta.
C'è anche l'Arno? — Sì, c'è anche l'Arno.
C'è l'autostrada Roma-Milano? — Sì, c'è l'autostrada Roma-Milano.

— *Ecco. Prendo l'autostrada. Hm, 300 chilometri a Pisa. 500 chilometri a Milano.*

Risponda! È Pisa sull'autostrada Roma-Milano? — Sì, è sull'autostrada Roma-Milano.
Quanti chilometri ci sono da Roma a Pisa? — Ci sono 300 chilometri da Roma a Pisa.
E quanti chilometri ci sono da Roma a Milano? — Ci sono 500 chilometri da Roma a Milano.
Bene.

Allora, andiamo. Andiamo a Milano.
Il nastro numero 5 è finito.

Arrivederci e grazie.

Nastro Numero 6

Ascolti e risponda, per favore!

(denaro)

Ecco il mio denaro. Lo metto sul tappeto io? — No, non lo mette sul tappeto.
Lo metto in tasca? — No, non lo mette in tasca.
Dove lo metto? — Lo mette sul tavolo.
Ho questo denaro in mano io? — No, non ce l'ha in mano. Ripeta!
Ce l'ho in tasca? — No, non ce l'ha in tasca.
E Lei. Ce l'ha in tasca Lei? — No, io non ce l'ho in tasca.
Ce l'ha in mano? — No, non ce l'ho in mano.
Bene. Va bene.

Allora, ascolti!

Ecco una stazione. È la stazione Termini.
La stazione Termini è a Roma.

— *Signor Pieri! Signor Pieri! Signor Pieri!*

Risponda! È una signorina questa? Sì, . . . — Sì, è una signorina.
È a Napoli questa signorina? — No, non è a Napoli.
Dov'è? — È a Roma.
È all'hotel Termini o alla stazione Termini? — È alla stazione Termini.
Bene.

Ascolti!

— *Signor Pieri! Scusi, signore. C'è qui il Signor Pieri?*
— *Chi? Il Signor Alfieri?*
— *Pieri. Il Signor Pieri.*
— *Ma signorina, chi è questo Signor Pieri?*
— *È un piccolo signore. Un piccolo signore con un cane grande grande.*
— *Oh.*

Risponda! È grande il Signor Pieri? — No, il Signor Pieri non è grande.
Com'è? — È piccolo.
Ha un cane lui? — Sì, ha un cane.
Ha un cane piccolo? — No, non ha un cane piccolo.
Com'è il suo cane? — Il suo cane è grande.
È proprio grande il suo cane? — Sì, il suo cane è proprio grande.

Adesso ascolti!

— *Per favore, signore, c'è qui il Signor Pieri o non c'è?*
— *Ma, questo Signor Pieri . . .*
— *Allora, c'è qui il Signor Pieri?*
— *No, no. Non c'è. Non c'è il Signor Pieri e non c'è nemmeno un cane.*

Risponda! C'è il Signor Pieri? — No, non c'è il Signor Pieri.
E il suo cane? — Non c'è nemmeno il suo cane. Ripeta!
È alla stazione il Signor Pieri? — No, non è alla stazione.

Adesso ascolti!

— *Oh, il Signor Pieri va a Milano con il treno. Va a Milano e non ha denaro. Non ha nemmeno una lira in tasca.*

Risponda! Ha denaro il Signor Pieri? — No, non ha denaro.
Non ha mille lire in tasca? — No, non ha mille lire in tasca.
Ha una lira in tasca? — No, non ha nemmeno una lira in tasca.

Ascolti, per favore!

— *Oh, il Signor Pieri va a Milano. Va a Milano e non ha nemmeno una lira in tasca.*

Risponda! Dove va il Signor Pieri? — Va a Milano.
Va a piedi? — No, non va a piedi.
Va con l'autobus? — No, non va nemmeno con l'autobus.
Ma, come va a Milano lui? — Va a Milano con il treno.
È alla stazione lui? — No, lui non è alla stazione.

Adesso ascolti!

— *Mi scusi, signore. È questo il treno per Milano?*
— *Sì, sì, signorina. Per Milano.*

Risponda! È un aereo questo? — No, questo non è un aereo.
Che cosa è? — È un treno.
È il treno per Napoli? — No, non è il treno per Napoli.
È il treno per Bologna? — No, non è nemmeno il treno per Bologna.
Quale treno è? — È il treno per Milano.

Ascolti!

— *Oh, eccolo. Ecco il Signor Pieri!*
— *Buon giorno, signorina. Buon giorno.*

Risponda! Chi viene? — Il Signor Pieri viene.
Viene con la Signora Pieri? — No, non viene con la Signora Pieri.

(cane)

Con chi viene? — Viene con il suo cane.

Ascolti!

— *Oh, Signor Pieri. Ecco le 10.000 lire, Signor Pieri. Le 10.000 lire per il Suo biglietto.*
— *Oh, sì, signorina. Ma il treno . . .*

Risponda! Porta denaro la signorina? — Sì, porta denaro.
Porta 30.000 lire? — No, non porta 30.000 lire.
Porta 20.000 lire? — No, non porta 20.000 lire.
Quanto denaro porta? — Porta 10.000 lire.
È per la signorina questo denaro? — No, non è per la signorina.
Per chi è? — È per il Signor Pieri.
È per una bottiglia di vino? — No, non è per una bottiglia di vino.
Per che cosa è? — È per il biglietto.

Ascolti!

— *Ecco le 10.000 lire, Signor Pieri.*
— *Oh grazie, signorina. Ma questo treno, questo treno per Milano . . .*

Risponda! Va con questo treno il Signor Pieri? — No, non va con questo treno.
Come? Non lo prende? — No, non lo prende.
Non è sul treno lui? — No, non è sul treno.
Il treno va a Milano senza di lui? — Sì, il treno va a Milano senza di lui.

E lui! Dov'è? Sul treno per Milano o a la stazione di Roma?	Lui è alla stazione di Roma. Ripeta!

Oh, che problema!
Che problema per il Signor Pieri!

Ora ascolti!
Ascolti questa conversazione fra il Signor Pieri e la signorina.
Per favore, ascolti e ripeta!

— *Signor Pieri! Signor Pieri! Scusi, signore. C'è qui il Signor Pieri?*
— *Il Signor Alfieri?*
— *Pieri. Il Signor Pieri. È un piccolo signore. Un piccolo signore con un cane grande grande. Ma, c'è qui il Signor Piero o non c'è? Non ha una lira in tasca. Va a Milano e non ha nemmeno una lira in tasca. . . . Ah, eccolo! Ecco il Signor Pieri.*
— *Buon giorno, buon giorno, signorina.*
— *Ecco le 10.000 lire, Signor Pieri.*
— *Sì, signorina . . . il treno . . . questo treno per Milano.*
— *Sì, va a Milano senza di Lei.*
— *Già, va a Milano senza di me.*

Che problema!
Che problema per il Signor Pieri!

E per noi questo nastro, il nastro numero 6, è finito.

Arrivederci e grazie.

Nastro Numero 7

La segretaria e la lettera.
Ascolti la segretaria al telefono.

— *Pronto.*

Risponda! Dice il suo nome la segretaria?	No, non lo dice. Ripeta!
Che dice?	Dice "pronto."

Ascolti!

— *Pronto.*
— *Parla il Signor Greco.*

Risponda! Chi dice il suo nome, il Signor Greco o la segretaria?	Il Signor Greco lo dice. Ripeta!
Lo dice alla segretaria?	Sì, lo dice alla segretaria.
Lo dice in tedesco?	No, non lo dice in tedesco.
In che lingua lo dice?	Lo dice in italiano.
Bene.	

Ascolti!

— *Parla il Signor Greco. C'è il direttore, signorina?*
— *No, Signor Greco. Il direttore non è in ufficio.*

Risponda! C'è il direttore? — No, il direttore non c'è.
Come? Non è in ufficio? — No, non è in ufficio.
Ma, chi c'è in ufficio? — C'è la segretaria in ufficio. Ripeta!
Bene.

Ascolti!

— *C'è il direttore, signorina?*

Risponda! "C'è il direttore?" È una domanda o una risposta? — È una domanda.
Fa la domanda la segretaria? — No, la segretaria non fa la domanda.
Chi fa la domanda? — Il Signor Greco fa la domanda.
Bene.

E Lei! Fa una domanda anche Lei? — No, io non faccio una domanda.
Come? Non fa una domanda al professore Lei? No, . . . — No, io non faccio una domanda al professore.

Ascolti!

— *No, Signor Greco. Il direttore non è in ufficio.*

Risponda! "Il direttore non è in ufficio." È una domanda o una risposta questa? — È una risposta.
È la risposta della segretaria? — Sì, è la risposta della segretaria.
Risponde la segretaria? — Sì, la segretaria risponde.
Risponde al direttore? — No, non risponde al direttore.
A chi risponde? — Risponde al Signor Greco.
Risponde a una domanda del Signor Greco? — Sì, risponde a una domanda del Signor Greco.

Risponde alla domanda per telefono o per lettera? — Risponde alla domanda per telefono.
Benissimo!

Ascolti!

— *Mi scusi, signore, ma il direttore non è in ufficio.*
— *Grazie, signorina. Arrivederci.*
— *Greco . . . Greco . . . Oh dio! Quella lettera! Quella lettera per il Signor Greco!*

(macchina da scrivere)

Risponda! Che fa la segretaria? — La segretaria scrive.
Scrive a mano? — No, non scrive a mano.
Come scrive? — Scrive a macchina.
Scrive una cartolina? — No, non scrive una cartolina.
Cosa scrive? — Scrive una lettera.

La scrive al direttore? — No, non la scrive al direttore.
A chi la scrive? — La scrive al Signor Greco.
Molto bene.

Sssh! Ascolti!
Il direttore entra.

— *Signorina, quella lettera per il Signor Greco.*
— *Ecco la lettera, signor direttore.*
— *Grazie, signorina.*

Risponda! Legge il direttore? — Sì, il direttore legge.
Che cosa legge, una lettera o un giornale? — Legge una lettera.
E Lei! Legge la lettera anche Lei? No, . . . — No, io non leggo la lettera.
Legge un giornale in questo momento? — No, non leggo un giornale in questo momento.

Che cosa fa Lei, legge o parla? — Io parlo.
Parla inglese ora? — No, non parlo inglese ora.
Che lingua parla con me? — Parlo italiano con Lei.
Benissimo.

Parla italiano anche la segretaria? — Sì, anche la segretaria parla italiano.
E anche il direttore parla italiano? — Sì, anche il direttore parla italiano.
Ah, in ufficio si parla italiano, vero? — Sì, in ufficio si parla italiano.
Che lingua si parla a Roma? — A Roma si parla italiano.
Che lingua si parla a Parigi? — A Parigi si parla francese.
E a Madrid? — A Madrid si parla spagnolo.
Bene.

Ascolti!

— *Ma signorina, questa lettera non è corretta.*
— *Come! Non è corretta?*
— *No, signorina.*

Risponda! È corretta la lettera? — No, la lettera non è corretta.
Chi ha letto la lettera? — Il direttore ha letto la lettera.
Molto bene.

E Lei! Ha letto la lettera Lei? — No, io non ho letto la lettera.
Ha ascoltato il nastro Lei? — Sì, ho ascoltato il nastro.
Ha risposto Lei? — Sì, ho risposto.
Ha risposto bene? Sì, . . . — Sì, ho risposto bene.
Allora, rispondere non è un problema, vero? — No, rispondere non è un problema.
Ascoltare non è un problema? — No, ascoltare non è un problema.
E ripetere non è un problema nemmeno? — No, ripetere non è un problema nemmeno.
Allora, imparare l'italiano non è un problema? — No, imparare l'italiano non è un problema.
Benissimo.

Ora, ascolti la Signora Carter!
Ascolti il professore della Signora Carter!

— *Non capisco, professore.*
— *No, Signora Carter?*
— *Ho preso 12 lezione e non ho carta, non ci sono matite, nemmeno libri.*
— *No, Signora Carter!*
— *Imparo l'alfabeto, ma non scrivo.*
— *No, Signora Carter . . .*
— *Non capisco questo metodo. Questa non è una scuola. Ho fatto 12 lezioni, ma non ho un libro. . .*
— *No, Signora Carter, ma Lei ha nastri, ha un magnetofono, un microfono. Non ascolta? Non capisce Lei?*
— *Sì, ma . . .*
— *Non ripete le frasi?*
— *Sì, ma . . .*
— *Non capisce le domande?*
— *Sì, ma . . .*
— *Non risponde in italiano?*
— *Sì, ma signor professore, non ho un libro. Non leggo frasi. Non faccio esercizi in italiano e in inglese.*
— *Come, signora! In inglese! In questa scuola! Ma Lei, qui, impara l'inglese o l'italiano?*
— *L'italiano, ma l'imparo senza libri. Non ho letto nemmeno una parola. Non ho scritto nemmeno una lettera dell'alfabeto.*
— *Ma, signora, Lei ascolta . . . e poi risponde . . . e parla in italiano . . . e in questo momento non legge l'italiano?*
— *Ma, professore . . .*
— *Non legge ora questa lezione e capisce?*
— *Professore!*
— *Signora, prenda questo libro e legga! Leggere non è un problema!*

È vero. Leggere non è un problema in italiano.
Ma basta per ora. Basta per questo nastro.
Il nastro numero 7 è finito.

Arrivederci e grazie.

Nastro Numero 8

Risponda! Quale nastro è questo?

È il quinto nastro?	No, non è il quinto nastro.
È il sesto nastro?	No, non è il sesto nastro.
Quale nastro è?	È l'ottavo nastro. Ripeta!

Va bene.

Ascolti, per favore!

(ascensore)

— *Secondo piano!*

Risponda! È il primo piano questo? — No, non è il primo piano.
Quale piano è? — È il secondo piano.
Che piano viene dopo? — Dopo viene il terzo piano.
E dopo il terzo piano? — Dopo il terzo piano viene il quarto piano.
E dopo il quarto? — Dopo il quarto viene il quinto.
E dopo il quinto? — Dopo il quinto viene il sesto.
Molto bene.

Ascolti!

— *Secondo piano.*
— *Scusi, signore, l'ufficio del Signor Greco. Dov'è?*
— *È la seconda porta a destra, signorina.*
— *Ah, la seconda porta. Grazie.*

Risponda! Dove va la signorina? Nell'ufficio del Signor Greco? — Sì, va nell'ufficio del Signor Greco.
Dov'è questo ufficio? È dietro la prima porta? — No, non è dietro la prima porta.
Dov'è l'ufficio? Dietro la seconda o la terza porta? — L'ufficio è dietro la seconda porta.
La seconda porta a sinistra o la seconda porta a destra? — La seconda porta a destra.
Benissimo!

Ascolti!

— *Scusi, quale ufficio è la Banca d'Italia?*
— *La Banca d'Italia è al quarto piano.*
— *Grazie.*

Risponda! Va alla Banca d'America il signore? — No, non va alla Banca d'America.
Dove va? — Va alla Banca d'Italia.
Va alla banca per depositare denaro? Sì, . . . — Sì, va alla banca per depositare denaro.
Deposita il suo denaro lui? — Sì, deposita il suo denaro.
Deposito il mio denaro io? Sì, . . . — Sì, Lei deposita il Suo denaro.
E Lei! Deposita il mio denaro Lei? — No, non deposito il Suo denaro.
Che cosa fa? — Io deposito il mio denaro.
E noi, che cosa facciamo? — Depositiamo il nostro denaro.
Che cosa fanno i signori? — I signori depositano il loro denaro.
Molto bene.

Ecco un assegno; uno, due, tre assegni. Conto gli assegni io? — Sì, conta gli assegni.
Conto i miei assegni? — Sì, conta i Suoi assegni.
E Lei! Conta i miei assegni Lei? — No, io non conto i Suoi assegni.
Che cosa conta Lei? — Conto i miei assegni. Ripeta!
E noi, che cosa contiamo? — Contiamo i nostri assegni.
Che cosa contano i signori? — I signori contano i loro assegni.
Bene!

Basta con la grammatica.

Ascolti Nanda e Filippo!

— *Buongiorno, Nanda.*
— *Buongiorno, Filippo.*
— *Dove va?*
— *Vado al lavoro.*

Risponda! Va a casa Nanda?
No, non va a casa.
Dove va?
Va al lavoro.
Lavora Nanda?
Sì, lavora.
Con chi parla Nanda?
Parla con Filippo.
Bene.

Ascolti!

— *Ah, Nanda, dove lavora ora?*
— *Lavoro in una fabbrica di scarpe.*

Risponda! Lavora in un ufficio Nanda?
No, non lavora in un ufficio.
Lavora in una banca o una fabbrica?
Lavora in una fabbrica.
Lavora in una fabbrica di guanti?
No, non lavora in una fabbrica di guanti.
In quale fabbrica lavora?
Lavora in una fabbrica di scarpe.

Ascolti!

— *Dica, Nanda, ci sono molti impiegati nella fabbrica?*
— *Sì, siamo 50 impiegati nella fabbrica.*

Risponda! Ci sono cinque impiegati nella fabbrica?
No, non ci sono cinque impiegati nella fabbrica.
Quanti impiegati ci sono?
Ci sono 50 impiegati.
Sono pochi o molti?
Sono molti.

Ascolti!

— *Nel nostro ufficio ci sono solamente dieci impiegati.*

Risponda! Ci sono 50 impiegati nell'ufficio?
No, non ci sono 50 impiegati nell'ufficio.
Quanti impiegati ci sono?
Ci sono dieci impiegati.
Sono pochi o molti?
Sono pochi.
Benissimo!

Ascolti!

— *Quante ore lavora nella fabbrica, Nanda?*
— *Lavoro dieci ore, Filippo.*
— *Dieci! Nel nostro ufficio noi lavoriamo solamente otto ore!*

Risponda! Lavora otto ore Nanda?
No, non lavora otto ore.
Quante ore lavora?
Lavora dieci ore.

E Filippo! Lavora tante ore quante Nanda? — No, Filippo non lavora tante ore quante Nanda.
Lavora più di lei? — No, non lavora più di lei.
Lavora meno di lei? — Sì, lavora meno di lei.

Ascolti!

— *Dica, Nanda, a che ora si comincia a lavorare nella Sua fabbrica?*
— *Si comincia alle 8.*

Risponda! Apre alle 10 la fabbrica di Nanda? — No, non apre alle 10.
A che ora apre? — Apre alle 8.
Si comincia a lavorare alle 8? — Sì, si comincia a lavorare alle 8.

Ascolti!

— *Noi cominciamo alle 9 nel nostro ufficio.*

Risponda! A che ora si apre l'ufficio? — Si apre alle 9.
Scusi, a che ora cominciano? — Cominciano alle 9.
A che ora si apre la fabbrica? — Si apre alle 8.
Che cosa si apre prima, l'ufficio o la fabbrica? — La fabbrica si apre prima.
Che cosa si apre dopo? — L'ufficio si apre dopo.
Bene. Benissimo.

Ora Lei comincia a parlare molto bene.
Ma, per adesso, la lezione è finita.
Il nastro numero 8 è finito.

Arrivederci e grazie.

Nastro Numero 9

Dica, per favore . . . mi dica, che lingua parliamo? — Parliamo italiano.
Parla la stessa lingua Lei a casa Sua? — No, a casa mia non parlo la stessa lingua.

Ma, con me parla in italiano, non è vero? — Sì, con Lei parlo in italiano.
Ed io! Le parlo in italiano? — Sì, mi parla in italiano. Ripeta!
Le parlo anche in tedesco? — No, non mi parla in tedesco.
Le parlo in francese? — No, non mi parla in francese.
In che lingua Le parlo? — Mi parla in italiano.

Mi dica il Suo nome, per favore! Ecco! Mi dice il Suo nome Lei? — Sì, Le dico il mio nome.
Mi dice anche il Suo indirizzo Lei? — No, non Le dico il mio indirizzo.
Mi dice la Sua nazionalità? — No, non Le dico la mia nazionalità.

Che cosa mi ha detto? — Le ho detto il mio nome.
Mi ha detto il Suo nome in italiano, vero? — Sì, Le ho detto il mio nome in italiano.

Per favore, mi dia una sigaretta! Mille grazie.
Risponda! Mi dà una sigaretta Lei? Sì, . . . — Sì, Le do una sigaretta.
Mi dà due sigarette? — No, non Le do due sigarette.
Mi dà tre sigarette? — No, non Le do tre sigarette.
Quante sigarette mi dà? — Le do una sigaretta.
Ecco. Molto bene.

Dica, per favore, scrive una lettera in questo momento? — No, in questo momento non scrivo una lettera.
Scrive una cartolina? — No, non scrivo nemmeno una cartolina.
Che cosa scrive in questo momento? — In questo momento non scrivo niente.
Dice qualche cosa Lei? — Sì, dico qualche cosa.
Parla al telefono Lei? — No, non parlo al telefono.
Parla con qualcuno al telefono? — No, non parlo con nessuno al telefono.

Ripeta! qualcuno — nessuno
qualche cosa — niente

Molto bene. Benissimo!

Adesso ascolti!

La Signora Bianchi va a comprare qualche cosa.
Va a comprare del latte e del burro.
Ascolti! La signora parla con il lattaio.

— *Buongiorno, Signora Bianchi.*
— *Buongiorno, signore.*
— ***Che cosa Le do oggi?***
— ***Mi dia un etto di burro, per favore.*** *Un etto di burro.*

Risponda! Domanda qualche cosa la Signora Bianchi? — Sì, domanda qualche cosa.
Domanda un etto di zucchero? — No, non domanda un etto di zucchero.
Che cosa domanda? — Domanda un etto di burro.
Lo domanda al giornalaio? — No, non lo domanda al giornalaio. Ripeta!
A chi lo domanda? — Lo domanda al lattaio.

Adesso ascolti!

— *Ecco, Signora Bianchi, un etto di burro.*

Risponda! Le dà un chilo di burro il lattaio? — No, non le dà un chilo di burro.
Le dà mezzo chilo di burro? — No, non le dà mezzo chilo di burro.
Le dà mezzo etto di burro? — No, non le dà mezzo etto di burro.

Quanto burro le dà? — Le dà un etto di burro.
E Lei! Mi dà del burro Lei? — No, non Le do del burro.
Non mi dà nemmeno dello zucchero? — No, non Le do nemmeno dello zucchero.
Cosa mi dà? — Non Le do niente.

Ora ascolti ancora!

— *E adesso, Le do altro, Signora Bianchi?*
— *Sì, un litro di latte. Un litro.*

Risponda! Domanda altro la signora? — Sì, domanda altro.
Che domanda, del vino o del latte? — Domanda del latte.
Lo domanda al lattaio? — Sì, lo domanda al lattaio.
Gli domanda due litri? — No, non gli domanda due litri.
Quanti litri gli domanda? — Gli domanda un litro.
Bene.

Ascolti!

— *Per favore, signore, mi faccia un pacco.*
— *Sì, Signora Bianchi. Lo mando a casa Sua il pacco?*
— *Sì, per favore, lo mandi a casa mia.*

Risponda! Fa un pacco il lattaio? — Sì, fa un pacco.
Porta il pacco il lattaio? — No, non lo porta.
Lo manda, vero? — Sì, lo manda.
Lo manda alla Signora Bianchi? — Sì, lo manda alla Signora Bianchi.
Dove le manda il pacco? — Le manda il pacco a casa.

Ascolti ora!

— *A che ora Le mando il pacco, Signora Bianchi? Alle 6?*
— *Sì, va bene, alle 6.*

Risponda! Le manda il pacco alle 4? — No, non le manda il pacco alle 4.
Le manda il pacco alle 5? — No, non le manda il pacco alle 5.
A che ora le manda il pacco? — Le manda il pacco alle 6.
A chi lo manda, a Lei o alla signora? — Lo manda alla signora.
Molto bene.

Ora ascolti!

— *Va bene, signora. Le mando il pacco a casa Sua.*
— *Sa Lei dove abito io?*
— *Sì, signora, Via Garibaldi.*

Risponda! Cosa sa il lattaio? Sa dove lavora la signora? — No, non sa dove lavora.
Cosa sa? — Sa dove abita.
E Lei! Sa Lei dove abita il lattaio? — No, non so dove abita il lattaio.
Sa dove abito io? — No, non so nemmeno dove abita Lei.
Molto bene.

Ascolti!

— *Grazie mille, signore.*
— *Grazie a Lei, signora.*
— *Arrivederci.*

Risponda! Dice "prego" la signora? — No, non dice "prego."
Cosa dice, "prego" o "grazie"? — Dice "grazie."
A chi lo dice? — Lo dice al lattaio.
Bene.

È vero. Parla con il lattaio.
Ma basta per ora.
Basta per questo nastro.

Abbiamo finito per adesso.
Il nastro numero 9 è finito.

Arrivederci e grazie.

Nastro Numero 10

Ascolti, per favore!

(qualcuno viene)

Viene qualcuno? — Sì, qualcuno viene.

— *Buongiorno, professore.*
— *Buongiorno, Carlo.*

Risponda! Chi è venuto? — È venuto Carlo.

Adesso un po' di grammatica.
Il presente e il passato.

Ripeta! Oggi Carlo viene.
Ieri Carlo è venuto.

Ripeta! La signora viene.	E il passato?	La signora è venuta. Ripeta!
Carlo e Nanda vengono.	Passato?	Carlo e Nanda sono venuti. Ripeta!
Maria e Nanda vengono.	Passato?	Maria e Nanda sono venute. Ripeta!
Maria e Nanda entrano.	Passato?	Maria e Nanda sono entrate. Ripeta!
Io entro.	Passato?	Io sono entrato.
Adesso il contrario.		
Io esco.	Passato?	Io sono uscito.
Nanda esce.	Passato?	Nanda è uscita.
Noi usciamo.	Passato?	Noi siamo usciti.
Bene.		

Adesso un altro verbo.
Il verbo "andare."

Noi andiamo.	Passato?	Noi siamo andati.
Andiamo via.	Passato?	Siamo andati via.
La signora va via.	Passato?	La signora è andata via.
Vado via.	Passato?	Sono andato via.

Bene.

Facciamo un altro.

Rimango a casa.	Passato?	Sono rimasto a casa.
Carlo rimane a casa.	Passato?	Carlo è rimasto a casa.
Nanda non rimane a casa.	Passato?	Nanda non è rimasta a casa.

Molto bene.

Il contrario.

Noi partiamo.	Passato?	Noi siamo partiti.
Il treno parte.	Passato?	Il treno è partito.
Sono nel treno.	Passato?	Sono stato nel treno.
Siamo nel treno.	Passato?	Siamo stati nel treno.
Lui è a Roma.	Passato?	Lui è stato a Roma.
Nanda è a Roma.	Passato?	Nanda è stata a Roma.

Bene, bene. Molto bene.

Ora, basta con la grammatica.

Ascolti! Nanda e Carlo fanno una passeggiata.
Una passeggiata a Villa Borghese.
Ecco Carlo!

— *Buongiorno, Nanda.*
— *Buongiorno, Carlo. Dove andiamo oggi?*
— *Andiamo al giardino.*
— *Sì, andiamo al giardino, Carlo. A Villa Borghese.*
— *Giusto, a Villa Borghese.*

Risponda! Che cosa è Villa Borghese?

È una strada?	No, non è una strada.
È una banca?	No, non è una banca.
Cos'è, un edificio o un giardino?	È un giardino.
È a Milano Villa Borghese?	No, Villa Borghese non è a Milano.
In quale città è?	È a Roma.

Ascolti!

— *Ecco, Nanda. Ecco la fermata dell'autobus.*
— *Ma dov'è l'autobus, Carlo?*
— *Non lo so. Non c'è l'autobus.*

Risponda! È arrivato alla fermata Carlo?	Sì, è arrivato alla fermata.
C'è arrivato con Nanda?	Sì, c'è arrivato con Nanda.
Ci sono arrivati insieme?	Sì, ci sono arrivati insieme.
Ma, c'è anche l'autobus?	No, l'autobus non c'è.

Ascolti!

— *L'autobus non c'è. Aspettiamo. Aspettiamo un momento, Nanda.*

Risponda! Cosa fanno loro, salgono nell'autobus o aspettano?	Aspettano.
Dove aspettano l'autobus?	L'aspettano alla fermata.
L'aspettano insieme?	Sì, l'aspettano insieme.

Ascolti!

— *Ecco l'autobus che viene. Salga, Nanda!*

Risponda! È arrivato l'autobus?	Sì, è arrivato.
Hanno aspettato molto?	No, non hanno aspettato molto.
È arrivato subito l'autobus, vero?	Sì, è arrivato subito.

Ascolti!

— *Salga, Nanda! Ecco due posti per noi.*

Ora, risponda! È salita Nanda?	Sì, è salita.
È salita nell'autobus?	Sì, è salita nell'autobus.
Ci è salita sola?	No, non ci è salita sola.
Con chi c'è salita?	C'è salita con Carlo.
Ci sono saliti insieme?	Sì, ci sono saliti insieme.
Ci sono saliti per andare dove?	Ci sono saliti per andare a Villa Borghese.

Ascolti!

— *Guardi, Nanda. Ecco Villa Borghese.*
— *Ah, ci siamo. Siamo arrivati.*

Risponda! Sono arrivati i due?	Sì, sono arrivati.
Sono arrivati al Tevere?	No, non sono arrivati al Tevere.
Dove sono arrivati?	Sono arrivati a Villa Borghese.
Ci sono arrivati con il treno?	No, non ci sono arrivati con il treno.
Come ci sono arrivati?	Ci sono arrivati con l'autobus.

Ora ascolti!

— *Allora scendiamo, Carlo.*
— *Scendo prima io. Ecco.*
— *Grazie, Carlo.*

Risponda! È scesa Nanda?	Sì, è scesa.
È scesa dall'autobus?	Sì, è scesa dall'autobus.
Chi è sceso prima di Nanda?	Carlo è sceso prima di Nanda.
Chi è sceso dopo di Carlo?	Nanda è scesa dopo di Carlo.

Ascolti!

— *È bello, Carlo. È bellissimo questo giardino.*
— *Nanda, guardi, lì giù. C'è San Pietro.*
— *Sì, San Pietro. Quant'è bello!*

Risponda! Sono entrati Carlo e Nanda in San Pietro?	No, non sono entrati in San Pietro.
Dove sono entrati, in una chiesa o in un giardino?	Sono entrati in un giardino.
Ci sono entrati insieme?	Sì, ci sono entrati insieme.
È bello questo giardino?	Sì, questo giardino è molto bello.

Ascolti!

— *Bè, ritorniamo a casa, Nanda.*
— *Sì, Carlo. Andiamo.*
— *Ecco il nostro autobus.*
— *Sì, la nostra passeggiata è finita.*

La passeggiata di Nanda e Carlo è finita.
E anche questo nastro, il nastro numero 10, è finito.

Arrivederci e grazie.

Nastro Numero 11

Ascolti! Siamo alla stazione Termini di Roma.
Il Signor Pieri vuole andare a Milano.
Ma è arrivato in ritardo alla stazione.
E il suo treno, il treno per Milano, è partito senza di lui.

Ascoltiamo un po'!

— *Ma Signor Pieri, questo treno, il Suo treno, va a Milano senza di Lei, Signor Pieri.*
— *Sì, lo so. Lo so, signorina.*

Risponda! È partito il treno del Signor Pieri?	Sì, è partito.
Per dov'è partito?	È partito per Milano.
È partito con lui?	No, non è partito con lui.
Dov'è rimasto il Signor Pieri?	È rimasto alla stazione.

Ascolti!

— *Il Suo treno è partito, Signor Pieri.*
— *Sì, lo so. Lo so, signorina. Il treno non mi ha aspettato.*

Risponda! È partito con ritardo questo treno?	No, non è partito con ritardo.

Non ha aspettato il Signor Pieri? — No, non lo ha aspettato.
Come! Il treno non ha aspettato nemmeno 5 minuti? — No, non ha aspettato nemmeno 5 minuti.
Chi ha fatto tardi, il treno o il Signor Pieri? — Il Signor Pieri ha fatto tardi.

Ascolti!

— *Il treno non L'ha aspettato, Signor Pieri. Ma io sì. Io L'ho aspettata. Io non sono partita. Non sono andata via.*

Risponda! Chi non è andata via? — La signorina non è andata via.
Chi non è partita? — La signorina non è partita.
Chi ha aspettato? — La signorina ha aspettato.
Brava, signorina!

Ascolti!

— *Ecco il Suo denaro, Signor Pieri. Ho portato il Suo denaro. Le 10.000 lire. Per il Suo biglietto.*

Risponda! Ha portato qualche cosa la signorina? — Sì, ha portato qualche cosa.
Ha portato il biglietto o il denaro? — Ha portato il denaro.
Il denaro per che cosa? — Il denaro per il biglietto.
Ha portato 20.000 lire? — No, non ha portato 20.000 lire.
Quanto denaro ha portato? — Ha portato 10.000 lire.
Quanto costa il biglietto? — Costa 10.000 lire.

Ascolti!

— *Senta, signorina, c'è un altro treno oggi?*
— *Guardiamo l'orario, Signor Pieri. Ecco l'orario. Guardi, c'è un treno alle 16.*
— *Alle 16! Benissimo!*

Risponda! C'è un altro treno oggi? — Sì, c'è un altro treno oggi.
Parte alle 15? — No, non parte alle 15.
A che ora parte? — Parte alle 16.
Lo sa il Signor Pieri? — Sì, il Signor Pieri lo sa.
L'ha letto sull'orario lui? — Sì, l'ha letto sull'orario. Ripeta!

Ascolti!

— *Adesso, vado a comprare il Suo biglietto, Signor Pieri.*
— *Grazie, signorina. Per favore, vada.*

Risponda! Va a comprare un giornale la signorina? — No, non va a comprare un giornale.
Che cosa va a comprare? — Va a comprare un biglietto.
Quanto costa un biglietto? — Costa 10.000 lire.
Bene.

Ascolti!

— *Ecco il biglietto, Signor Pieri. Seconda classe.*
— *Grazie, signorina.*

Risponda! Chi ha comprato il biglietto, la signorina o il Signor Pieri?	La signorina l'ha comprato.
Ha comprato un biglietto di prima classe?	No, non ha comprato un biglietto di prima classe.
Che cosa ha comprato?	Ha comprato un biglietto di seconda classe.
Quale classe costa di più, la prima o la seconda?	La prima costa di più.
Quale costa di meno?	La seconda costa di meno.
Quante classi ci sono in Italia?	Ci sono due classi in Italia.
Molto bene.	

Adesso ascolti!

— *Ecco! Prenda il biglietto, Signor Pieri! Lo metta in tasca!*
— *Ma no, signorina. Adesso no. Dopo sì, lo prendo dopo.*

Risponda! Prende il biglietto il Signor Pieri?	No, non lo prende.
Lo mette in tasca?	No, non lo mette in tasca.
Ce l'ha in mano lui?	No, non ce l'ha in mano.
Chi ce l'ha in mano, lui o la signorina?	Ce l'ha la signorina.
E la signorina non gli dà il biglietto?	No, non gli dà il biglietto.

Ora, ascolti!

— *E ora, che cosa facciamo, signorina?*
— *Non telefona a Sua moglie, Signor Pieri? Non telefona alla Signora Pieri?*
— *No, no. Telefono a mia moglie quando arrivo.*

Risponda! Telefona ora il Signor Pieri?	No, non telefona ora.
Telefona la signorina?	No, non telefona nemmeno la signorina.
Chi telefona?	Non telefona nessuno.
Quando telefona il Signor Pieri, quando parte o quando arriva?	Telefona quando arriva.
E a chi telefona?	Telefona a sua moglie.

Ascolti!

— *Guardi, Signor Pieri. Le ho portato anche il giornale. E la signora Le manda questo libro.*
— *Bene, bene. Grazie mille, signorina.*

Risponda! Ha portato qualche cosa la signorina?	Sì, ha portato qualche cosa.
Per chi ha portato qualche cosa?	Ha portato qualche cosa per il Signor Pieri.
Gli ha portato qualche cosa da fumare?	No, non gli ha portato niente da fumare.

Che cosa gli ha portato, qualche cosa da fumare o qualche cosa da leggere? — Gli ha portato qualche cosa da leggere.
Gli ha portato una rivista? — No, non gli ha portato una rivista.
Che cosa gli ha portato? — Gli ha portato un giornale.
Che altro gli ha portato? — Gli ha portato anche un libro.

Ascolti!

— *Ecco il Suo giornale, signore. E anche il libro.*
— *Grazie mille, signorina.*

— *Il treno delle 16 per Firenze-Bologna-Milano è in arrivo.*

— *Ecco il Suo treno, Signor Pieri.*
— *Grazie, signorina.*
— *ArrivederLa, Signor Pieri.*
— *Grazie, signorina. ArrivederLa. Grazie per il giornale. Grazie per il denaro. Grazie. Grazie, signorina.*
— *Signor Pieri! Signor Pieri! Oh dio, non ha preso il suo biglietto! E non ha una lira in tasca!*

Risponda! È già finito il viaggio del Signor Pieri? — No, il viaggio del Signor Pieri non è finito ancora.

È vero. Il viaggio del Signor Pieri non è finito.
Ma per noi, questo nastro, il nastro numero 11, è finito.

Arrivederci e grazie.

Nastro Numero 12

Ascolti, per piacere!

(rumore della strada)

Che cosa sente? Il rumore della strada? — Sì, sento il rumore della strada.
Com'è questo rumore? È forte? — Sì, è forte.
È bello questo rumore? — No, non è bello.
Lo sente con piacere? — No, non lo sento con piacere.
Questo rumore non Le piace? — No, non mi piace.

Allora, chiudiamo la finestra!
Risponda! Che cosa ho fatto? — Ha chiuso la finestra.
Sente qualche cosa adesso? — No, non sento niente.

(parlare)

E adesso! Sente qualche cosa? — Sì, sento qualche cosa.
Che cosa sente? Sente parlare? — Sì, sento parlare.
Sente parlare adesso? — No, adesso non sento parlare.
Che cosa sente? — Non sento niente.

Adesso risponda!

(una mucca)

È una mucca questa?	Sì, è una mucca.
Ci dà del latte una mucca?	Sì, ci dà del latte.
Le piace il latte? Sì, . . .	Sì, il latte mi piace.
Le piace mangiare del pane?	Sì, mi piace mangiare del pane.

Ripeta! Il pane è buono.
Mangiamo del pane.

Ripeta! La carne è buona. Che cosa mangiamo?	Mangiamo della carne.
La marmellata è buona. Cosa facciamo?	Mangiamo della marmellata.
Il formaggio è buono. Cosa facciamo?	Mangiamo del formaggio.
Il vino è buono. Che facciamo?	Beviamo del vino. Ripeta!
Il latte è buono. Che facciamo?	Beviamo del latte.
La birra è buona. Cosa facciamo?	Beviamo della birra.

Adesso il plurale. I panini sono buoni. Cosa mangia Lei?	Mangio dei panini.
I piselli sono buoni. Cosa fa Lei?	Mangio dei piselli.
Le fragole sono buone. Cosa fa Lei?	Mangio delle fragole.
Le arance sono buone. Cosa fa Lei?	Mangio delle arance.
La frutta è buona. Che cosa fa Lei?	Mangio della frutta.
Benissimo.	

Adesso risponda! Le piace la frutta?	Sì, mi piace.
Ne mangia Lei? Sì, . . .	Sì, ne mangio. Ripeta!
Mangia delle arance?	Sì, ne mangio.
Beve della birra?	Sì, ne bevo.
Beve anche del latte?	Sì, ne bevo.
Mangia della carne?	Sì, ne mangio.
Mette dello zucchero sulla carne?	No, non ne metto sulla carne.
Ne mette nel caffè? Sì, . . .	Sì, ne metto nel caffè.
Ne mette anche nel vino?	No, non ne metto nel vino.
Bene.	

E basta con la grammatica.

Ora ascolti!
Il Signor Carter fa colazione a Roma.

— *Un tavolino, signore?*
— *Sì, grazie. Ecco, va bene.*

Risponda! È a Londra il Signor Carter?	No, non è a Londra.
In quale città è?	È a Roma.
È nella sua camera lui?	No, non è nella sua camera.
Dov'è lui, nella strada o in un bar?	È in un bar.
C'è molto rumore nel bar?	Sì, c'è molto rumore nel bar.
Sente il rumore Lei o non lo sente?	Lo sento. Ripeta!

Ascolti!

— *Per favore, cameriere, mi porti un succo di pompelmo.*
— *Scusi, signore, non ho sentito.*

Risponda! Ha sentito il cameriere?	No, non ha sentito.

Ascolti, per favore!

— *Scusi, signore, che cosa ha detto?*
— *Ho detto un succo di pompelmo.*
— *Un succo di che cosa?*
— *Un succo di pompelmo.*
— *Oh, mi dispiace, ma non c'è succo di pompelmo.*

Risponda! Che succo ha detto il Signor Carter?	Ha detto un succo di pompelmo.
Si beve questo succo in America?	Sì, si beve in America.
Si beve anche a Londra? Sì, . . .	Sì, si beve anche a Londra.
Ma a Roma . . . c'è questo succo o non ce n'è?	Non ce n'è.

Ascolti!

— *Mi dispiace, signore, ma non c'è succo di pompelmo.*
— *Allora, due uova. Mi porti due uova, per favore.*
— *Scusi, Lei ha detto dell'uva?*
— *Ma no, uova, due uova!*

Risponda! Ha capito bene il cameriere?	No, non ha capito bene.
Cosa prende il signore, dell'uva o delle uova?	Prende delle uova.

Ascolti!

— *Cameriere, mi porti, per favore, due uova con toast.*

Risponda! Prende le uova con carne, il Signor Carter?	No, non le prende con carne.
Le prende con dei panini?	No, non le prende con dei panini.
Con che cosa le prende?	Le prende con toast.

Ascolti!

— *Mi porti due uova con toast.*
— *Mi dispiace, signore . . .*
— *Come!?*
— *Mi dispiace ma non ce n'è del toast.*

Risponda! C'è del toast?	No, non ce n'è.
Non c'è nemmeno del succo di pompelmo?	No, non ce n'è.

Che problema!

Ascolti!

— *Le porto dei panini, signore?*
— *Dei panini!! Eh, va bene!*
— *Due uova, due panini. Con burro, signore? Le piacciono i panini con burro?*
— *Con burro? Sì, con burro. Panini con burro!*

Risponda! Allora, prende dei panini infine? Sì, prende dei panini infine.
Ci sono dei panini? Sì, ce ne sono.
Molto bene. Benissimo!

Ora ascolti questa conversazione.
Ecco la colazione del Signor Carter.
Ascolti e ripeta!

— *Un tavolino, signore?*
— *Sì, grazie. Per favore, cameriere, mi porti un succo di pompelmo.*
— *Scusi, signore, non ho sentito.*
— *Ho detto un succo di pompelmo.*
— *Mi dispiace, ma non c'è succo di pompelmo.*
— *Allora, mi porti due uova, per favore.*
— *Lei ha detto dell'uva?*
— *Ma no, uova . . . mi porti due uova con toast.*
— *Mi dispiace signore, non ce n'è del toast. Le porto dei panini, signore.*
— *Dei panini! Eh, va bene.*
— *Le piacciono i panini con burro, signore?*
— *Sì, con burro. Panini con burro!*

Due uova e dei panini con burro.
Ecco la colazione del Signor Carter.

E per adesso, la lezione è finita.
E questo nastro, il nastro numero 12, è finito.

Arrivederci e grazie.

Nastro Numero 13

Ascolti! Il Signor Rossi telefona a Bettina, sua moglie.

— *Pronto.*
— *Sono io, Bettina. Senti, cara, andiamo al ristorante stasera?*
— *Al ristorante! Che buona idea! Sì, sì, con piacere.*

Risponda! Parla al telefono il Signor Rossi? Sì, parla al telefono.
Con chi parla, con sua figlia? No, non parla con sua figlia.
Con chi parla? Parla con sua moglie.
Bene.

Ascolti!

— *Pronto.*
— *Sono io, Bettina.*

Risponda! Si chiama Carolina la Signora Rossi?	No, non si chiama Carolina.
Come si chiama?	Si chiama Bettina.

Ora ascolti!

— *Andiamo al ristorante stasera?*
— *Sì, sì, andiamo al ristorante.*

Risponda! Vorrebbe uscire il signore?	Sì, vorrebbe uscire.
Vorrebbe andare al cinema?	No, non vorrebbe andare al cinema.
Dove vorrebbe andare?	Vorrebbe andare al ristorante.
Con chi ci vorrebbe andare?	Ci vorrebbe andare con sua moglie.
E Lei! Ci vorrebbe andare anche Lei? No, . . .	No, io non ci vorrei andare.
Vorrebbe uscire Lei adesso? No, . . .	No, non vorrei uscire adesso.
Lei non vorrebbe andare al ristorante adesso?	No, non ci vorrei andare adesso.
Benissimo!	

Allora ascolti, per favore!

— *Ma, dove andiamo? Quale ristorante? A che ora?*
— *Bene, bene. Alle 8. Da Nino. Mangiamo da Nino alle 8. Capito?*
— *Sì, caro. Da Nino. Alle 8.*

Risponda! "Da Nino." È questo il nome del ristorante?	Sì, è il nome del ristorante.
Ci va il Signor Rossi?	Sì, ci va.
Ci va anche la signora?	Sì, ci va anche la signora.
A che ora ci vanno?	Ci vanno alle 8.
Molto bene.	

Ascolti!

Sono le 9. Il Signor Rossi sta davanti al ristorante.
Ma sua moglie ancora non è venuta.

— *Ah! Quella donna! Quella donna! Sono le 9. Ma dov'è mia moglie?*

Risponda! Sta al ristorante il Signor Rossi?	Sì, ci sta.
Ci sta con sua moglie?	No, non ci sta con sua moglie.
Non è venuta la signora?	No, non è venuta.
Non è ancora venuta?	No, non è ancora venuta.
Ma che ora è? Sono le 8 o sono le 9?	Sono le 9.

Ascolti!

— *Oh, quella donna! Aspetto da un'ora. Oh, finalmente!*
— *Ciao, caro. Come va?*
— *Benissimo, cara. Benissimo.*

Risponda! Dunque, è arrivata la signora?	Sì, è arrivata.
È arrivata alle 8?	No, non è arrivata alle 8.
A che ora è arrivata?	È arrivata alle 9.
È arrivata in anticipo o in ritardo?	È arrivata in ritardo.
Con quante ore di ritardo è arrivata?	È arrivata con un'ora di ritardo.
Piace aspettare al Signor Rossi?	No, non gli piace aspettare.
E a Lei! Le piace aspettare?	No, non mi piace aspettare.
Bene.	

Ascolti!

— *Ah, ecco un tavolo per noi. Qui c'è posto, Bettina. Scusi, signore. Mi scusi, per favore.*

Risponda! Si siede la signora?	Sì, si siede.
Si siede anche suo marito?	Sì, si siede anche suo marito.
Chi si siede prima?	La signora si siede prima.
E chi si è seduto dopo?	Suo marito si è seduto dopo.

Ora ascolti!

— *Cameriere!*
— *Cameriere! Cameriere!*
— *Cameriere!*
— *Non c'è un cameriere qui.*

Risponda! Viene subito il cameriere?	No, non viene subito.
Lo chiama il Signor Rossi?	Sì, lo chiama il Signor Rossi.
Lo ha chiamato anche la Signora Rossi?	Sì, lo ha chiamato anche la Signora Rossi.

Bene. Bene.

Ora ascolti!

— *Cameriere!*
— *Prego, signore.*
— *Ah, cameriere, la lista per piacere.*
— *Ecco la lista, signore. E un'altra per Lei, signora.*

Risponda! È venuto il cameriere adesso?	Sì, è venuto adesso.
Ha portato il vino lui?	No, non ha portato il vino.
Che cosa ha portato?	Ha portato la lista.
Ha dato una lista alla signora?	Sì, le ha dato una lista.
Ha dato una lista anche al Signor Rossi?	Sì, ha dato una lista anche a lui.
Benissimo!	

Ascoltiamo!

— *Dunque, dunque, vediamo un po' la lista. Che c'è di buono? L'antipasto, sardine... salame... olive...*
— *L'antipasto? No. Per me no. Grazie.*
— *Allora, pasta o minestra?*
— *Della pasta, sì. Ci sono i vermicelli?*
— *Ci sono vermicelli al burro.*

Risponda! Chi legge la lista adesso?	Il Signor Rossi la legge.
Vorrebbe un antipasto la signora?	No, non vorrebbe un antipasto.
Che cosa vorrebbe, una minestra o della pasta?	Vorrebbe della pasta.
È buona la pasta in Italia?	Sì, è buona.
Sono buoni anche i vermicelli?	Sì, anche i vermicelli sono buoni.
Bene.	

Ora ascolti!

— *Dunque. Cameriere!*
— *Sì, signore.*
— *Cominciamo con due piatti di vermicelli.*
— *Sì, signore. Due piatti di vermicelli.*

Risponda! Ha ordinato qualche cosa il signore?	Sì, ha ordinato qualche cosa.
Ha ordinato dei vermicelli o degli spaghetti?	Ha ordinato dei vermicelli.
Quanti piatti ha ordinato?	Ha ordinato due piatti.
Ha già ordinato del pesce?	No, non ha ancora ordinato pesce.

Ascolti!

— *E dopo, signori, come secondo piatto? Una bella bistecca?*
— *Va bene. Bettina, una bistecca?*
— *Sì, sì. Una bistecca ben cotta.*
— *E va bene. Due bistecche ben cotte.*

Risponda! Prendono pesce o carne i signori?	Prendono carne.
Prendono un arrosto?	No, non prendono un arrosto.
Che cosa prendono?	Prendono bistecche.
Le prendono al sangue?	No, non le prendono al sangue.
Come le prendono?	Le prendono ben cotte.
Molto bene.	

E buon appetito!
Adesso basta. Abbiamo finito per adesso.

Buon appetito, signora!
Alla Sua salute, signore!
Il nastro numero 13 è finito.

Arrivederci e grazie.

Nastro Numero 14

Ascolta Lei?
Sì, ascolto.

Ascolta un nastro giapponese o italiano?
Ascolto un nastro italiano.

E perchè? Per imparare questa lingua?
Sì, per imparare questa lingua.

Ah, Lei vuole imparare l'italiano? Ma sì, . . .
Ma sì, voglio imparare l'italiano.

Senta! Io voglio andare a Tokio. Quale lingua devo imparare?
Deve imparare il giapponese.

Carlo vuole andare a Londra. Che lingua deve imparare?
Lui deve imparare l'inglese.

Benissimo!

Deve imparare l'inglese.

Ripetiamo il verbo "dovere."

Io . . . ? — Io devo
Lei . . . ? — Lei deve
Noi . . . ? — Noi dobbiamo
Loro . . . ? — Loro devono

Il verbo "volere."

Io . . . ? — Io voglio
Lei . . . ? — Lei vuole
Noi . . . ? — Noi vogliamo
Loro . . . ? — Loro vogliono

E finalmente "potere,"

Io . . . ? — Io posso
Lei . . . ? — Lei può
Noi . . . ? — Noi possiamo
Loro . . . ? — Loro possono

Ecco! Basta con la grammatica.

Adesso andiamo a Milano.
Andiamo all'ufficio della posta.

Ascolti l'impiegato dell'ufficio telefoni e una signora!

— *Quale elenco cerca, signora?*
— *Cerco l'elenco di Roma.*

Risponda! Vuole un telefono la signora?
No, non vuole un telefono.

Che cosa vuole?
Vuole un elenco.

Vuole l'elenco telefonico di Pisa?
No, non vuole l'elenco telefonico di Pisa.

Quale elenco cerca?
Cerca l'elenco di Roma.

Lo cerca per trovare un numero?
Sì, lo cerca per trovare un numero.

Per trovare un numero in quale città?
Per trovare un numero a Roma.

Ascolti!

— *Ha trovato il numero, signora?*
— *Sì, il 35-23-42 a Roma.*

Risponda! Ha trovato un indirizzo la signora?	No, non ha trovato un indirizzo.
Cosa ha trovato?	Ha trovato un numero.
Dove l'ha trovato?	L'ha trovato nell'elenco telefonico.
Ci può trovare anche un indirizzo?	Sì, ci può trovare anche un indirizzo.
Benissimo!	

Ascolti adesso!

— *Scusi, signore. Quale cabina devo prendere?*
— *Prenda la cabina 10, signora.*
— *10? Grazie.*

Risponda! Deve prendere la cabina 5?	No, non deve prendere la cabina 5.
Quale cabina deve prendere?	Deve prendere la cabina 10.
La deve prendere per cercare il numero?	No, non la deve prendere per cercare il numero.
Perchè la deve prendere, per fare una telefonata o per fare un telegramma?	La deve prendere per fare una telefonata.

Ascolti!

— *Scusi, signore. Pago prima o dopo la telefonata?*
— *Lei pagherà dopo, signora. Dopo.*

Risponda! Deve pagare la signora?	Sì, deve pagare.
Quando deve pagare?	Deve pagare dopo la telefonata.
Chi deve pagare, l'impiegato o la signora?	La signora deve pagare.
E Lei! Deve pagare quando fa una telefonata?	Sì, devo pagare quando faccio una telefonata.
Deve pagare molto quando fa una telefonata da Roma a New York?	Oh sì, devo pagare molto quando faccio una telefonata da Roma a New York.

Ascolti!

— *35-23-42. Ecco. Pronto, pronto. Scusi, c'è il Signor Loconsole? Il Signor Lo-con-so-le, per piacere! Sono . . . sono un'amica ecco.*

Risponda! Parla con Milano la signora o con Roma?	Parla con Roma.
Vuole parlare con suo fratello?	No, non vuole parlare con suo fratello.
Con chi vuole parlare, con un signore o con una signora?	Vuole parlare con un signore.
Come si chiama il signore?	Si chiama Loconsole.

Ascolti!

— *Pronto! Il signore non c'è? Come? È uscito? Ritorna alle 5? Bene. Alle 5! Arrivederci!*

Risponda! Può parlare con questo signore? — No, non può parlare con lui.
Perchè no? È uscito il Signor Loconsole? — Sì, è uscito.
A che ora ritorna? — Ritorna alle 5.
Non ritornerà alle 4 e mezzo? — No, non ritornerà alle 4 e mezzo.
A che ora ritornerà? — Ritornerà alle 5.
Benissimo!

Ascolti!

— *Bene. Alle 5. Arrivederci.*
— *Già finito, signora?*
— *Grazie. Ho già finito.*

Risponda! Parla ancora la signora? — No, non parla più.
Sta ancora nella cabina? — No, non sta più nella cabina.
Telefona ancora a Roma? — No, non telefona più a Roma.
Ha già finito? — Sì, ha già finito.
Ha già pagato? — No, non ha pagato ancora.
Ha già domandato quanto costa? — No, non ha ancora domandato quanto costa.

Bene.

Ascolti!

— *Scusi, signore. Scusi. Quanto Le devo dare?*
— *Vediamo un po'. Lei ha parlato due minuti. Sì, due minuti. Lei mi deve 200 lire.*

Risponda! Deve pagare 1000 lire la signora? — No, non deve pagare 1000 lire.
Quanto deve pagare? — Deve pagare 200 lire.
Ha parlato 10 minuti o 2 minuti? — Ha parlato 2 minuti.
Deve pagare 200 lire perchè ha parlato 2 minuti, vero? — Sì, deve pagare 200 lire perchè ha parlato 2 minuti. Ripeta!
A chi deve dare il denaro, all'impiegato o al signore? — Lo deve dare all'impiegato.
Bene. Benissimo.

Ora Lei comincia a parlare molto bene.
Ma, per adesso, basta con il denaro.
Siamo arrivati alla fine di questo nastro.
Ma sì! Il nastro numero 14 è finito.

Arrivederci e grazie.

Nastro Numero 15

(treno)

Risponda! Che cos'è questo?	È un treno.

Ci troviamo alla stazione Termini di Roma.
Il Signor Pieri vuole andare a Milano.

Risponda! Ha dimenticato il Signor Pieri?	No, non l'ho dimenticato. Ripeta!
Ha dimenticato la signorina con il denaro?	No, non l'ho dimenticata.
Ha dimenticato il cane del Signor Pieri?	No, non l'ho dimenticato.
Benissimo!	

Il primo treno è partito alle 2, non è vero? Sì, . . .	Sì, è partito alle 2.
È partito con questo treno il Signor Pieri?	No, non è partito con questo treno.
Ah, lui non è venuto alla stazione alle 2?	No, non è venuto alla stazione alle 2.
Ha dimenticato di venire alle 2?	Sì, ha dimenticato di venire alle 2.
Ha dimenticato anche il suo denaro?	Sì, ha dimenticato anche il suo denaro.
Chi ha portato il denaro?	L'ha portato la signorina.
Chi ha comprato il biglietto?	L'ha comprato la signorina.
Benissimo!	

Ascolti!

— *Per favore, prenda il biglietto, Signor Pieri. Lo metta in tasca.*
— *Ma no, signorina. Adesso no. Lo prendo dopo.*

Risponda! Ha preso il biglietto il Signor Pieri?	No, non l'ha preso.
L'ha messo in tasca?	No, non l'ha messo in tasca nemmeno.
L'ha preso in mano?	No, non l'ha preso in mano nemmeno.

Ascolti!

— *Le ho portato anche il giornale, Signor Pieri. E la signora Le manda questo libro.*
— *Un libro! Bene, bene, signorina. Grazie mille.*

Risponda! Ha portato una rivista la signorina?	No, non ha portato una rivista.
Che cosa gli ha portato, una rivista o un giornale?	Gli ha portato un giornale.
Gli ha portato anche un libro?	Sì, gli ha portato anche un libro.
Oh, il Signor Pieri ha dimenticato il libro a casa?	Sì, l'ha dimenticato a casa.
Dimentica molte cose lui?	Sì, dimentica molte cose.

Ascolti!

— *Ecco il Suo treno, Signor Pieri.*
— *Oh, arrivederLa, signorina. Grazie.*
— *Signor Pieri! Signor Pieri! Oh dio, non ha preso il biglietto! E non ha una lira in tasca! È partito con il treno, e non ha nemmeno una lira in tasca.*

Risponda! È partito adesso il signore?	Sì, è partito adesso.
E chi ha il suo denaro?	Ce l'ha la signorina.
E il suo biglietto?	Ce l'ha la signorina.
Così, lui ha dimenticato il biglietto?	Sì, l'ha dimenticato.
Ha dimenticato di prenderlo?	Sì, ha dimenticato di prenderlo.
Ha dimenticato anche il suo denaro?	Sì, ha dimenticato anche il suo denaro.
Viaggia senza denaro lui?	Sì, viaggia senza denaro.
Viaggia anche senza biglietto?	Sì, viaggia anche senza biglietto.
Dimentica tutto lui?	Sì, dimentica tutto.

Ora ascolti!

— *Scusi, signora, è occupato questo posto?*
— *No, no. È libero. È libero. Si accomodi, prego.*

Risponda! Che cosa cerca il Signor Pieri?	Cerca un posto.
Sono occupati tutti i posti?	No, non sono occupati tutti i posti.
C'è un posto libero per lui?	Sì, c'è un posto libero per lui.
Così, lui ha trovato un posto?	Sì, ha trovato un posto.

Ascolti!

— *Prego, signore. Si accomodi.*
— *Benissimo! Ah! Così, posso leggere un po' il giornale.*

Risponda! Che cosa vuol fare il Signor Pieri?	Vuole leggere.
Può leggere il giornale lui?	Sì, può leggerlo.
Non l'ha dimenticato?	No, non l'ha dimenticato.
Che cosa ha dimenticato?	Ha dimenticato il suo biglietto e il suo denaro. Ripeta!
Ma lui non lo sa ancora? No, . . .	No, non lo sa ancora.
Bè! Io non vorrei viaggiare senza biglietto. E Lei! Vorrebbe viaggiare senza biglietto Lei?	No, non vorrei viaggiare senza biglietto.
Vorrebbe viaggiare senza denaro?	No, non vorrei viaggiare senza denaro.
Ecco, è naturale!	

Ma adesso, ascolti! Arriva qualcuno.

— *Buongiorno, signore e signori! I biglietti, per piacere!*

Risponda! È venuto qualcuno?	Sì, è venuto qualcuno.
Che cosa vuole lui?	Vuole i biglietti.

Ah, vuole vedere i biglietti? — Sì, vuole vederli.
Allora, chi è lui? Un ingegnere o il controllore? — È il controllore.
Che cosa vuole controllare? — Vuole controllare i biglietti.

Ascolti!

— *Il Suo biglietto, signora.*
— *Ecco. Vado a Orvieto.*
— *Grazie, signora. A Orvieto. Lei arriva alle 17.*

Risponda! Che cosa ha visto lui? Il biglietto del Signor Pieri o il biglietto di una signora? — Ha visto il biglietto di una signora.
Dove vuole andare la signora? — Vuole andare a Orvieto.
A che ora arriva? — Arriva alle 17.
Allora, arriverà alle 5 del pomeriggio, vero? — Sì, arriverà alle 5 del pomeriggio.

Ascolti!

— *E Lei, signore! Il Suo biglietto, per piacere!*
— *Scusi, non capisco. In questa tasca non c'è. E nemmeno in quest'altra. Non capisco. Non lo trovo.*

Risponda! Che cosa vuole il controllore? — Vuole il biglietto del Signor Pieri.
Trova il biglietto lui? — No, non lo trova.
L'ha dimenticato lui? — Sì, l'ha dimenticato.

Ascolti!

— *Ma dove va Lei, signore? Va a Orvieto?*
— *A Orvieto? Non so. No, no, non vado a Orvieto.*
— *Ma scusi, dove va? Va a Firenze?*
— *A Firenze? Ma io non so, senza biglietto.*
— *Ma signore! Dove va Lei? A Bologna?*
— *Non lo so. Non lo so io. Senza il mio biglietto non lo posso dire. Ho dimenticato anche questo.*

Che problema! Senza biglietto il Signor Pieri non può viaggiare lontano.
E senza denaro! Ah! Che problema!
Ma, per noi, per adesso, abbiamo finito.
Abbiamo finito il nastro numero 15.

Arrivederci e grazie.

Nastro Numero 16

Ascolti!

Che ore sono? — Sono le 3.

Mi ha detto che ore sono?	Sì, Le ho detto che ore sono.

Ripeta! Sono le 3.
Sono le 3 o sono le 15. Ripeta!

Risponda! Sono le 4 o . . . ?	Sono le 16.
Sono le 5 o . . . ?	Sono le 17.
Sono le 6 o . . . ?	Sono le 18.
Sono le 6 e mezzo o . . . ?	Sono le 18 e 30.
Sono le 7 o . . . ?	Sono le 19.
Sono le 7 meno un quarto o . . . ?	Sono le 19 meno 15.
Sono le 8 o . . . ?	Sono le 20.

Ecco bene. E basta con questo.

Adesso un po' di grammatica.
Il presente ed il passato.
Oggi e ieri.

Ripeta! Oggi andiamo a letto alle 10. E ieri? Ieri siamo . . .	Ieri siamo andati a letto alle 10.
Dormiamo molto bene. Ripeta! E ieri?	Ieri abbiamo dormito molto bene.
Ci alziamo. E ieri?	Ieri ci siamo alzati.
Non ci alziamo. E ieri?	Ieri non ci siamo alzati.
Non ci alziamo durante la notte. E ieri?	Ieri non ci siamo alzati durante la notte.

Benissimo!

Ecco una sveglia. La sveglia suona. E ieri?	Ieri la sveglia ha suonato.
La sveglia suona alle 7. E ieri?	Ieri la sveglia ha suonato alle 7.
La sveglia si ferma. E ieri?	Ieri la sveglia si è fermata.
Franco entra nel bar. E ieri?	Ieri Franco è entrato nel bar.
Ci va anche la signorina Lisa. E ieri?	Ieri ci è andata anche la signorina Lisa.

Bene.

Ascolti! Ecco un piccolo bar nel centro della città.
Ascoltiamo Franco e la signorina Lisa!

— *Ma, Lisa, che ora sono?*
— *È ancora presto, Franco. Sono le 8.*

Risponda! Sono le 8 o le 9?	Sono le 8.
Sono le 8 di sera o di mattina?	Sono le 8 di sera.

Ascolti!

— *Un'altra sigaretta, Franco?*
— *No, grazie, Lisa. È tardi. Sono stanco. È ora di andare.*

Risponda! Vuol fumare Franco?	No, non vuole fumare.
Vuol rimanere ancora?	No, non vuole più rimanere.
Che cosa vuol fare, rimanere o andare a casa?	Vuole andare a casa.

Chi vuole andare a casa, Franco o Lisa? — Franco vuole andare a casa.
Chi è stanco, Lisa o Franco? — Franco è stanco.
Chi non è stanco? — Lisa non è stanca.

Ascoltiamo!

— *Mi scusi Lisa, ma è ora di andare per me.*
— *Ma Franco! È troppo presto. Sono le 8! È troppo presto per andarsene.*

Risponda! Chi vuole andarsene, lui o lei? — Lui vuole andarsene.
Vuole andarsene alle 10 lui? — No, non vuole andarsene alle 10.
Quando vuole andarsene, adesso o più tardi? — Vuole andarsene adesso.
E Lisa, vuole che lui se ne vada? — No, non vuole che lui se ne vada.
Vuole che rimanga? — Sì, vuole che rimanga.

Ascoltiamo un'altra volta!

— *Lisa, devo lavorare domani e vado a lavorare presto.*
— *Ma sì, caro. Capisco. Deve andare al lavoro. Capisco.*

Risponda! Dove va lui domani? — Va al lavoro domani.
Ci deve andare presto o tardi? — Ci deve andare presto.
Deve lavorare anche questa sera? — No, non deve lavorare anche questa sera.
Quando deve lavorare? — Deve lavorare domani mattina.

Ascolti!

— *Mi dica un po' Franco! A che ora si alza domani mattina?*
— *Devo alzarmi alle 7, Lisa. Alle 7!*
— *Alle 7! Ma Franco, questo è niente. Per me è peggio.*
— *Come è peggio?*
— *Peggio perchè io devo alzarmi più presto.*

Risponda! Chi si alza più presto, lui o lei? — Si alza più presto lei.
Allora, per chi è peggio, per lui o per lei? — È peggio per lei.
Chi si alza più tardi? — Si alza più tardi lui.
Allora per chi è meglio? — È meglio per lui.
Bene.

Ascolti!

— *Lei si alza più presto di me, Lisa? Va al lavoro anche Lei?*
— *Non sa che io lavoro?*
— *Ah, Lisa . . . per piacere, non mi parli del lavoro.*
— *Allora non Le piace lavorare, Franco?*

Risponda! Vuole parlare del lavoro Franco? — No, Franco non vuole parlare del lavoro.
Lui vuole che Lisa parli del lavoro? — No, non vuole che Lisa parli del lavoro. Ripeta!

Ma Lisa ne parla, non è vero?

Sì, Lisa ne parla.
Ne parla lo stesso. Ripeta!

Ma che vuole Lisa? Vuole rimanere o vuole andarsene?

Vuole rimanere.

Vuole che anche Franco rimanga, vero?

Sì, vuole che anche Franco rimanga.

Non vuole che Franco se ne vada a casa?

No, non vuole che lui se ne vada a casa.

Ascolti!

— *Non Le piace lavorare troppo, eh?*
— *Macchè! Mi piace lavorare, ma mi piace anche dormire.*
— *Bè! Allora, se deve andare. Ecco il Suo cappello.*
— *Ma, Lisa!!*
— *Ciao!*

Risponda! Che cosa gli dà Lisa?

Gli dà il suo cappello.

Adesso Lisa vuole che Franco se ne vada, non è vero?

Sì, adesso vuole che se ne vada.

Vuole che se ne vada ora o più tardi?

Vuole che se ne vada ora.

Ascolti!

— *Ecco. Prenda il cappello, Franco. Buona notte.*
— *Ma, com'è . . .*

Risponda! Continua a parlare lui?

No, non continua a parlare.

Ascolti!

— *Uffa! Quello là! Ora voglio andare a letto anch'io.*

Benissimo!
Ecco. Il nastro è finito.
L'ha capito Lei?
Vuole ascoltarlo ancora una volta?
Molto bene.
Avanti, dunque!
Il nastro numero 16 è finito.

Arrivederci e grazie!

Nastro Numero 17

Ascolti, per piacere!

Sente la musica Lei?

No, non la sento.

Allora, accendo la radio. Risponda! Che faccio?

Accende la radio.

Che cosa ho acceso io?
Ha acceso la radio.
È forte la musica?
Sì, è forte.

Allora, la spengo. Ho spento la radio?
Sì, l'ha spenta.
L'ha spenta Lei?
No, io non l'ho spenta.

Adesso un po' di grammatica.
Il presente e il passato.
Oggi e ieri.

Ripeta! Oggi Carlo si lava. E ieri?
Ieri Carlo si è lavato.
Noi ci laviamo. E ieri?
Ieri ci siamo lavati.
Oggi io mi lavo. E ieri?
Ieri mi sono lavata.
Mi lavo le mani. E ieri?
Ieri mi sono lavata le mani.
Non mi lavo i piedi. E ieri?
Ieri non mi sono lavata i piedi.

Un altro verbo: "farsi il bagno"
Ripeta! Carlo si fa il bagno. E ieri?
Ieri Carlo si è fatto il bagno.
Noi ci facciamo il bagno. E ieri?
Ieri ci siamo fatti il bagno.
Io mi faccio il bagno. E ieri?
Ieri mi sono fatta il bagno.
Bene.

E finalmente, ripeta! Carlo si veste. E ieri?
Ieri Carlo si è vestito.
Maria si veste. E ieri?
Ieri Maria si è vestita.
Noi ci vestiamo. E ieri?
Ieri ci siamo vestiti.
Ci vestiamo alle 7 e mezzo. E ieri?
Ieri ci siamo vestiti alle 7 e mezzo.

Basta con la grammatica!

Adesso ascoltiamo un signore e la sua donna di servizio.
Ascolti, per favore!

Ecco il Signor Albonico.
Il Signor Albonico ritorna a casa.
Ritorna a casa dopo il lavoro.
Ascolti!

— *Ma che c'è? Luce! Luce! Non c'è luce!*

Risponda! C'è luce in quella casa?
No, non c'è luce in quella casa.
Allora, com'è in quella casa? È buio o chiaro?
È buio.
Ci vede bene il Signor Albonico?
No, non ci vede bene.
Non ci vede bene perchè non c'è luce, vero?
È vero! Non ci vede bene perchè non c'è luce.

Ascolti!

— *Rosina! Rosina! Perchè non viene? Rosina! Perchè non c'è luce?*
— *Vengo signore, vengo, vengo.*

Risponda! Chi è Rosina? È la Signora Albonico?
No, non è la Signora Albonico.

È la donna di servizio? — Sì, è la donna di servizio.
È in casa Rosina? — Sì, è in casa.
Chi la chiama, il Signor Albonico o io? — Il Signor Albonico la chiama.

Ascoltiamo un'altra volta!

— *Perchè non c'è luce? Perchè non si accende? E dov'è quella lampada? Non si vede niente in questa casa. Ahii!!*

Risponda! Cosa cerca, un fiammifero o una lampada? — Cerca una lampada.
È accesa la lampada? — No, non è accesa.
Com'è, accesa o spenta? — È spenta.
Si vede qualcosa al buio? — No, non si vede niente al buio.

Ascolti!

— *Scusi, signore, non c'è l'elettricità.*
— *Perchè non ha telefonato a quelli della luce, Rosina?*
— *Ma ho telefonato, signore. Ho telefonato. Ma non sono ancora venuti.*

Risponda! Chi ha telefonato? — Ha telefonato Rosina.
Ha telefonato a quelli dell'acqua? — No, non ha telefonato a quelli dell'acqua.
Ha telefonato a quelli del gas? — No, non ha telefonato nemmeno a quelli del gas.
A chi ha telefonato? — Ha telefonato a quelli della luce.
Sono già venuti? — No, non sono ancora venuti.

Ascolti!

— *Senta, Rosina!*
— *Sì, signore!*
— *Senta, non ho molto tempo. Voglio uscire questa sera.*

Risponda! Ha molto tempo il signore? — No, non ha molto tempo.
Vuole rimanere a casa stasera il Signor Albonico? — No, non vuole rimanere a casa stasera.
Che vuole fare stasera? — Vuole uscire stasera.

Ascolti!

— *Rosina, devo lavarmi un poco, e subito. Posso farmi il bagno, Rosina?*
— *Oh, il bagno! No, signore, mi dispiace. Non c'è acqua . . .*
— *Come non c'è acqua?*
— *Non c'è acqua calda, signore!*

Risponda! Dunque, lui vuole farsi il bagno, no? — Sì, vuole farsi il bagno.
Ha bisogno di acqua fredda o di acqua calda? — Ha bisogno di acqua calda.
C'è dell'acqua calda o non ce n'è? — Non ce n'è.

Ascolti!

— *Ma perchè non ce n'è, Rosina? Perchè non c'è acqua calda?*
— *Non ce n'è perchè ho lavato tante camicie, signore!*

Risponda! Ha lavato i piatti Rosina? No, non ha lavato i piatti.
Che cosa ha lavato, dei piatti o delle camicie? Ha lavato delle camicie.
Ha lavato le camicie con l'acqua fredda? No, non le ha lavate con l'acqua fredda. Ripeta!
Con che cosa le ha lavate? Le ha lavate con l'acqua calda. Ripeta!
C'è ancora dell'acqua calda? No, non ce n'è più.

Ascolti!

— *Ma, signore! Ho lavato 10 camicie!*
— *Allora, Rosina, mi porti una camicia.*
— *Ahimè, signore, mi dispiace. Mi dispiace, ma le camicie non sono stirate.*

Risponda! Quante camicie ha lavato Rosina? Ha lavato 10 camicie.
Vuole 10 camicie il signore? No, non vuole 10 camicie.
Quante camicie vuole? Vuole una camicia.

Ascoltiamo adesso la fine di questa storia problematica!

— *Rosina! Non c'è nemmeno una camicia stirata in casa?*
— *Mi dispiace, signore.*
— *Allora, non posso uscire. Ma perchè non mi stira nemmeno una camicia?*
— *Ma come posso, signore? Se non c'è luce, non c'è l'elettricità!*

Ecco così è. Oggi, senza l'elettricità non c'è luce, non c'è acqua calda, non c'è radio, non c'è niente.
Anche il nastro non si può ascoltare senza elettricità.

Ma, per adesso, questo nastro, il nastro numero 17, è finito.

Arrivederci e grazie.

Nastro Numero 18

Ascolti, per favore!
Ascolti la radio italiana!

— *Attenzione! Attenzione! Qui parla la radio italiana. Stazione di Roma II, Napoli e Palermo. Buongiorno signore e signori! Oggi è lunedì, 15 maggio. Con il segnale radio, sono le 6 precise di mattina. Oggi cominciamo la nostra trasmissione con un po' di musica.*

Risponda! Abbiamo ascoltato la radio italiana? Sì, l'abbiamo ascoltata.

— *Attenzione! Attenzione!*

Qual era la prima parola?	Era "attenzione!"
Comincia o finisce la trasmissione con questa parola?	Comincia con questa parola.

Ascolti!

— *Oggi è lunedì, 15 maggio.*

Risponda! È lunedì o martedì oggi?	È lunedì.
È aprile o maggio?	È maggio.
È il 10 maggio?	No, non è il 10 maggio.
È il 12 maggio?	No, non è nemmeno il 12 maggio.
Che giorno è?	È il 15 maggio.
Benissimo!	

Adesso ripeta i nomi dei mesi!

gennaio — febbraio — marzo
aprile — maggio — giugno
luglio — agosto — settembre
ottobre — novembre — dicembre

Risponda! Si lavora in dicembre?	Sì, in dicembre si lavora.
Si lavora il 25 dicembre?	No, il 25 dicembre non si lavora.
Perchè no? Che giorno è il 25 dicembre?	È Natale.
Che cosa si dice a Natale? Si dice "Buon Compleanno" a Natale?	No, a Natale non si dice "Buon Compleanno."
Che cosa si dice a Natale?	A Natale si dice "Buon Natale!"
Cosa si dice il primo gennaio?	Il primo gennaio si dice "Buon Anno!"
È in inverno o in estate il primo gennaio?	È in inverno.
Si va al mare in gennaio?	No, non ci si va in gennaio.
Quando ci si va, in gennaio o in luglio?	Ci si va in luglio.
Quando si va alla spiaggia, in inverno o in estate?	Ci si va in estate.
Dov'è la Riviera, al mare o in montagna?	È al mare.
E Cortina?	È in montagna.
È negli Appenini o nelle Alpi Cortina?	È nelle Alpi.
Dov'è il Monte Bianco?	È anche nelle Alpi.
Dove sono le Alpi, a nord o a sud di Milano?	Sono a nord di Milano.

Adesso ascolti!

La Signorina Negroni e la Signora Malatesta parlano delle loro vacanze.

— *Buongiorno, Signora Malatesta.*
— *Buongiorno, signorina. Come sta?*
— *Bene, grazie. E Lei, signora? E Suo marito?*
— *Bene, grazie. Anche lui sta bene.*

Risponda! Con chi parla la signorina?	Parla con la Signora Malatesta.

Parla anche con il marito della signora? — No, non parla con il marito della signora.
Come sta la signora? — Sta bene.
Come sta suo marito? Sta bene anche lui? — Sì, anche lui sta bene.
Benissimo!

Adesso ascoltiamo!

— *Siamo già in maggio, signora. Prenderò le mie vacanze in giugno.*
— *Per noi giugno è troppo presto.*

Risponda! Vuole lavorare in giugno la signorina? — No, non vuole lavorare in giugno.
Che cosa vuole fare? — Vuole prendere le sue vacanze.
Le vuole prendere in maggio? — No, non le vuole prendere in maggio.
In quale mese le vuole prendere? — Le vuole prendere in giugno.

Ascolti!

— *Giugno è troppo presto per noi, signorina.*
— *Dove vanno Loro quest'anno, Signora Malatesta?*
— *Io e mio marito andremo in Riviera.*

Risponda! Dove andrà la Signora Malatesta? — Andrà in Riviera.
Ci andrà sola? — No, non ci andrà sola.
Con chi ci andrà? — Ci andrà con suo marito.
Dov'è la Riviera, al mare o in montagna? — È al mare.
Giusto.

Adesso ascolti!

— *Vanno in Riviera, signora? Ma Suo marito mi ha detto che preferisce le Alpi.*
— *Sì, lo so. Lui preferisce i monti.*

Risponda! Preferisce la Riviera anche il Signor Malatesta? — No, lui non la preferisce.
Cosa preferisce, il mare o i monti? — Preferisce i monti.
Quali monti gli piacciono, le Alpi o gli Appennini? — Gli piacciono le Alpi.

Ascolti!

— *Mio marito preferisce i monti. Ma io ho bisogno del mare, della spiaggia, del sole. Voglio prendere molto, molto sole.*

Risponda! Ha bisogno dei monti o del mare la signora? — Lei ha bisogno del mare.
Di che cosa ha bisogno, della montagna o della spiaggia? — Ha bisogno della spiaggia.
C'è poco sole alla spiaggia o ce n'è molto? — Ce n'è molto.

Adesso ascoltiamo un'altra volta la conversazione fra la signora e la signorina.
Ascolti e ripeta!

— *Buongiorno, Signora Malatesta.*
— *Buongiorno, signorina. Come sta?*
— *Bene, grazie. E Lei, signora?*
— *Bene, grazie.*
— *Siamo già in maggio, signora. Prenderò le mie vacanze in giugno.*
— *Oh, per noi giugno è troppo presto.*
— *Dove vanno Loro quest'anno, Signora Malatesta?*
— *Io e mio marito andremo in Riviera.*
— *Ma Suo marito mi ha detto che preferisce le Alpi.*
— *Le Alpi! Sì, lo so. Lui preferisce i monti. Io ho bisogno del mare, della spiaggia, del sole. Voglio prendere molto, molto sole.*
— *Ma lui mi ha detto che . . .*
— *Senta signorina, lui parla sempre così. Gli farà bene il mare.*
— *Così, non andranno in montagna, signora?*
— *Giusto. Andremo al mare. In Riviera.*

Ecco. Bene. E basta!
Ecco un'altra lezione per noi.
Un altro nastro che finisce.
Il nastro numero 18 è finito.

Arrivederci e grazie.

Nastro Numero 19

Adesso ascolti la radio italiana!
Danno il tempo per oggi.
Danno le previsioni del tempo per oggi.

— *Attenzione! Attenzione! Qui parla la radio italiana con le stazioni di Roma II, Napoli e Palermo. Adesso il tempo per oggi in Italia.*

Risponda! Danno il tempo?	Sì, danno il tempo.
Lo danno per oggi o per domani?	Lo danno per oggi.
Lo danno alla radio francese o alla radio italiana?	Lo danno alla radio italiana.
Lo danno per una città o per tutto il paese?	Lo danno per tutto il paese.
Scusi, che danno?	Danno il tempo.
Bene. Benissimo!	

Ascolti!

— *Il tempo di oggi in Italia non è diverso da quello d'ieri.*

Risponda! È cambiato il tempo oggi?	No, non è cambiato.
È lo stesso d'ieri?	Sì, è lo stesso d'ieri.

Ascolti!

— *Nel nord continua a piovere.*

Risponda! Fa bel tempo o brutto tempo nel nord? — Fa brutto tempo nel nord.
Piove o nevica nel nord? — Piove nel nord.
Che tempo fa quando c'è il sole? — Quando c'è il sole, fa bel tempo.

Ascoltiamo ancora!

— *Nelle Alpi neve e freddo.*

Risponda! Piove anche nelle Alpi? — No, nelle Alpi non piove.
C'è sole o neve nelle Alpi? — C'è neve nelle Alpi.
Che tempo fa? Fa freddo o caldo? — Fa freddo.
Scusi, dove fa freddo? — Fa freddo nelle Alpi.
Molto bene.

Ascolti!

— *Sempre nel nord ci sono dei forti venti.*

Ha ascoltato? Ci sono dei venti? — Sì, ci sono dei venti.
Ci sono dei venti nel nord o nel sud? — Ci sono dei venti nel nord.
Sono deboli questi venti? — No, non sono deboli.
Come sono? — Sono forti.

Shh . . . ascoltiamo!

— *Nel centro d'Italia, il tempo rimane nuvoloso come ieri.*

Risponda! Di quale regione si parla adesso? Del centro? — Sì, adesso si parla del centro.
Com'è il tempo nel centro? — Nel centro il tempo è nuvoloso.
E ieri! Era nuvoloso anche ieri? — Sì, anche ieri era nuvoloso.

Ascolti!

— *Il tempo nel centro rimane nuvoloso con pioggia leggera in mattinata.*

Risponda! La pioggia continua, non è vero? — Sì, continua.
Com'è, forte o leggera? — È leggera.
È leggera durante la sera o durante la mattina? — È leggera durante la mattina.
È così! Fa tempaccio nel centro, non è vero? — È vero. Fa tempaccio nel centro.

Ora ascolti!

— *Nel sud, il tempo continua bello con cielo sereno.*

Risponda! Fa lo stesso tempo nel sud come nel centro? — No, non fa lo stesso tempo nel sud come nel centro.
Che tempo fa nel sud? Fa bel tempo o brutto tempo? — Fa bel tempo nel sud.
Ha fatto bel tempo anche ieri? — Sì, anche ieri ha fatto bel tempo.
È coperto di nuvole il cielo? — No, non è coperto di nuvole.

Com'è il cielo?
È sereno.
C'è il sole o no?
C'è il sole.
È così! Bel tempo e sole nel sud.

Ma ascolti!

— *Nel nord e nel centro la temperatura è bassa.*

Risponda! Com'è la temperatura nel nord, alta o bassa?
È bassa nel nord.
Fa freddo anche nel centro?
Sì, fa freddo anche nel centro.
E nel sud, fa freddo o caldo nel sud?
Nel sud fa caldo.
Quando fa freddo, in agosto o in gennaio?
Fa freddo in gennaio.
Fa freddo quando nevica?
Sì, quando nevica fa freddo.
Ha freddo Lei quando nevica?
Sì, quando nevica ho freddo.

Quando fa caldo, d'inverno o d'estate?
Fa caldo d'estate.
Dove fa più caldo, a Berlino o a Palermo?
Fa più caldo a Palermo.
Dove fa sempre più caldo, nelle Alpi o in Sicilia?
Fa sempre più caldo in Sicilia.
Dov'è la Sicilia, nel sud o nel nord?
È nel sud.
Si porta un cappotto pesante quando fa caldo?
No, quando fa caldo non si porta un cappotto pesante.
Non si porta un cappotto pesante d'estate?
No, non si porta un cappotto pesante d'estate.

In quale stagione si porta un cappotto pesante?
Si porta un cappotto pesante d'inverno.
Ora mi dica un po'! Parliamo di musica adesso?
No, adesso non parliamo di musica.
Di che cosa parliamo, del tempo o della politica?
Parliamo del tempo.
Benissimo!

Adesso ascoltiamo ancora una volta questo programma della radio.
Ma questa volta, ascolti e ripeta.

— *Attenzione! Attenzione! Qui parla la radio italiana con le stazioni di Roma II, Napoli e Palermo.*

Il tempo per oggi in Italia non è diverso da quello d'ieri. Nel nord continua a piovere. Nelle Alpi neve e freddo. Sempre nel nord ci sono dei forti venti. Nel centro d'Italia il tempo rimane nuvoloso con pioggia leggera in mattinata. Nel sud il tempo continua bello con cielo sereno. Nel nord e nel centro la temperatura è bassa.

Attenzione! Attenzione! Qui parla la radio italiana con le stazioni di Roma II, Napoli e Palermo. Questa parte del nostro programma è finita.

Ora basta con il tempo.
Basta con la radio e basta per questo nastro.
Abbiamo finito per adesso.
Sì, il nastro numero 19 è finito.

Arrivederci e grazie.

Nastro Numero 20

Cominciamo con un po' di grammatica.
Oggi e ieri.

Oggi andiamo. E ieri? — Ieri siamo andati.
Oggi andiamo all'aeroporto. E ieri? — Ieri siamo andati all'aeroporto.
Un aereo arriva. E ieri? — Ieri un aereo è arrivato.
Il nostro amico scende. E ieri? — Ieri il nostro amico è sceso.
Lui dice "buongiorno." E ieri? — Ieri ha detto "buongiorno."
Noi diciamo "benvenuto." E ieri? — Ieri abbiamo detto "benvenuto."
Poi prendiamo una macchina. E ieri? — Ieri abbiamo preso una macchina.
Noleggiamo la macchina. E ieri? — Ieri abbiamo noleggiato la macchina.
Molto bene.

Adesso facciamo un'altra cosa.
Oggi e domani.

Oggi andiamo. E domani? — Domani andremo.
Oggi andiamo all'aeroporto. E domani? — Domani andremo all'aeroporto.
Un aereo arriva. E domani? — Domani un aereo arriverà.
Il nostro amico scende. E domani? — Domani il nostro amico scenderà.
Lui dice "buongiorno." E domani? — Domani dirà "buongiorno."
Noi diciamo "benvenuto." E domani? — Domani diremo "benvenuto."
Prendiamo una macchina. E domani? — Domani prenderemo una macchina.
Non la compriamo. E domani? — Neanche domani la compreremo.
Così, noleggiamo la macchina. E domani? — Domani noleggeremo la macchina.
Io mi diverto. E domani? — Domani mi divertirò.
Lei si diverte. E domani? — Domani si divertirà.
Ecco! Basta con la grammatica.

Adesso ascolti!
Ecco un aereo.
Siamo all'aeroporto di Roma.
Arriva il volo 51 da Nuova York.

Risponda! Dove siamo, a Roma o a Nuova York? — Siamo a Roma.
Siamo nel centro della città? — No, non siamo nel centro della città.
Dove siamo, alla stazione o all'aeroporto? — Siamo all'aeroporto.
Si è fermato quest'aereo? — Sì, si è fermato.
È arrivato da Napoli? — No, non è arrivato da Napoli.
Da dove è venuto? — È venuto da Nuova York.

Ascolti!

— *Silvia! Silvia! Viva Silvia! Benvenuta!*

È arrivata la signorina Silvia.
Silvia è una stella del cinema.

— *Silvia! Benvenuta, Silvia!*

Risponda! Chi è arrivata? Silvia?	Sì, è arrivata Silvia.
Da dove è venuta?	È venuta da Nuova York.
È una stella del teatro o del cinema?	È una stella del cinema.
Ha molti amici a Roma, Silvia?	Sì, ha molti amici a Roma.

Ascoltiamo!
La signorina Silvia vuole parlare!

— *Sono molto contenta.*
— *Brava, Silvia! Contenta Silvia! Benvenuta, Silvia!*
— *Sono molto contenta!*
— *Sono contenti tutti!*

Risponda! Che ha detto Silvia?	Ha detto "sono molto contenta."
Dunque, chi è contenta?	È contenta Silvia.
Sono contenti anche gli amici?	Sì, sono contenti anche gli amici.
Contenti di vedere la bella Silvia?	Sì, contenti di vederla. Ripeta!

Ascolti!
La signorina continua.

— *Sono venuta qui . . .*
— *Brava, Silvia! Brava, brava! Benvenuta! Benvenuta!*

Hmm . . . si dice "benvenuta." Risponda! Si dice "benvenuta" quando arriva un amico o un'amica?	Si dice "benvenuta" quando arriva un'amica.
Che cosa si dice quando arriva un amico?	Quando arriva un amico si dice "benvenuto."
Che cosa si dice quando arrivano due amici?	Quando arrivano due amici si dice "benvenuti."
Che cosa si dice quando arrivano due amiche?	Quando arrivano due amiche si dice "benvenute."

Sì, è naturale.

Ma, ascolti!

— *Sono venuta qui . . . Sono venuta qui a Napoli . . .*
— *A Napoli! Questa è Roma. Questa è Roma.*
— *Ma io devo essere a Napoli.*
— *Ah!*
— *C'è un errore!*
— *Come?*
— *Mi aspettano a Napoli!*
— *A Napoli? A Napoli?*

Risponda! È a Napoli Silvia? No, . . .	No, non è a Napoli.
Dov'è?	È a Roma.

Dunque, dunque!! Dove aspettano la signorina? — L'aspettano a Napoli.
C'è stato un errore, non è vero? — È vero! C'è stato un errore!

Ascolti!

— *E come faccio per andare a Napoli? Come faccio per andare a Napoli? Non c'è un altro aereo?*
— *Domani, domani, Silvia. Rimanga, rimanga a Roma!*

Risponda! Che vuole la gente? Vuole che parta o che rimanga Silvia? — Vuole che rimanga.
Vuole rimanere a Roma Silvia? — No, non vuole rimanere a Roma.
Vuole andarsene? — Sì, vuole andarsene.
Rimarrà a Roma Silvia? — No, non rimarrà a Roma.

Ascolti!

— *Ma, mi aspettano a Napoli!*
— *Oh!*
— *Mi aspettano a Napoli!*
— *Brava, Silvia! Brava!*

Oh, che problema!
C'è stato un errore.

Buon viaggio, signorina!
Buon divertimento a Napoli!

Il nastro numero 20 è finito.
Ed è finito anche il nostro primo corso d'italiano.

Arrivederci e grazie.

Nastro di Dettati

Il primo dettato

Il Signor Pieri è andato alla stazione. Lui vuole prendere il treno per Milano.
Ma Pieri ha dimenticato il suo denaro. Lui non ha nemmeno una lira in tasca.
La Signora Pieri ha mandato qualcuno con 10.000 lire. Buon viaggio, signore!

Il secondo dettato

— Mi dica, per favore, che ore sono?
— Sono le due meno cinque.
— A che ora chiudono le banche in questa città?
— Alle tre e mezzo.
— Allora c'è molto tempo. Voglio cambiare questo assegno.

Il terzo dettato

Questa lampada non è buona. Non c'è luce nel mio ufficio. Non ci vedo nulla, è troppo buio qui. Perchè non ha telefonato a quelli della luce? Non ci posso lavorare.

Il quarto dettato

— Che cosa si può fare in estate?
— Si può andare al mare. La spiaggia di Rimini è bellissima.
— Non mi piace fare i bagni. Preferisco fare passeggiate in campagna o in montagna.

Il quinto dettato

— Di solito non piove in autunno. C'è sole e fa abbastanza caldo. Perchè non vuole uscire con noi?
— Ho troppo da fare e non sto molto bene.
— Mi dispiace tanto. Forse un'altra volta.

Il sesto dettato

— Vorrei andare in centro.
— Vada diritto e poi prenda la terza strada a sinistra. Lei vedrà la fermata del tram. Prenda il numero sette e scenda all'ultima fermata.
— Lei è molto gentile. Mille grazie.

Nastro di Conversazione

1. Dialogo del nastro numero 1 — Nel ristorante
2. Dialogo del nastro numero 2 — Nella strada
3. Esercizio 1 — Leggere non è un problema
4. Esercizio 2 — Al bar della stazione
5. Esercizio 3 — La segretaria e la lettera
6. Esercizio 14 — La Signora Bianchi va a comprare del burro
7. Esercizio 17 — Una passeggiata a Villa Borghese
8. Esercizio 24 — Il Signor Pieri va a Milano
9. Esercizio 30 — La prima colazione
10. Esercizio 40 — I pasti in Italia
11. Esercizio 51 — Il vino è buono in Italia
12. Esercizio 53 — Il Signor Pieri ha dimenticato
13. Esercizio 70 — Non c'è luce in casa